U0104368

臺灣地區工業發展的過程及其環境結構的變遷

吳 連 賞 著

文史哲出版社
印 行

國立中央圖書館出版品預行編目資料

臺灣地區工業發展的過程及環境結構的變遷 /
吳連賞著. -- 初版. -- 臺北市 :文史哲，民
80
　　面 ；　公分
參考書目：面
ISBN 957-547-068-0(平裝)

1．工業 - 臺灣

555.9232　　　　　　　　　　　　　81004211

台灣地區工業發展的過程
及其環境結構的變遷

著　　者：吳　　　連　　　賞
出 版 者：文　史　哲　出　版　社
登記證字號：行政院新聞局局版臺業字第〇七五五號
發 行 所：文　史　哲　出　版　社
印 刷 者：文　史　哲　出　版　社
　　　　臺北市羅斯福路一段七十二巷四號
　　郵　撥：〇五一二八八一二彭正雄帳戶
　　電　話：三 五 一 一 〇 二 八
定價新臺幣三二〇元

中 華 民 國 八 十 年 九 月 初 版
中 華 民 國 八 十 一 年 十 月 初 版 二 刷

自　　序

　　四十年來臺灣的經濟發展，經由我國經濟計畫和工業發展策略的適切導引，以及若干經濟因素和非經濟因素的有效運作，使整個政治、經濟和社會條件都能維持在一個相當安定的水準，結果也使得工業部門的成果和潛力全面發揮，進而帶動工業貿易的成長與起飛，甚至被稱為開發中國家經濟發展的楷模。本書寫作的主要旨趣即在於探討臺灣工業發展的前因後果，以及工業發展的時空間演變過程，並進一步探究臺灣工業發展環境的變化情形。

　　本書的結構可分成五大部份：首先從時間面和經濟面追溯臺灣工業發展的歷程；其次從空間的向度出發，針對工業發展的空間演變情形，來說明臺灣工業發展的區域差異和特徵；第三和第四部份則透過深入的工廠問卷調查，分別從微視（Micro）和巨視（Macro）兩個層面，即通過環境面和綜合面來掌握臺灣工業發展環境的變貌，先討論國內工業廠商對內和對外投資環境的變化，以及海外投資之趨向與現況；後討論因長期快速工業發展對整個傳統社會形貌和區域環境（包括內在和外在）結構所造成的嚴厲衝擊及其因應之道；最後第五部份則綜合前四部份之研究結果提出摘要結論和政策性建議。質言之，本書即以系統化觀點，來全盤追溯檢討臺灣工業化的量變和質變的動態過程。

　　本書之成蒙劉師鴻喜多年來殷切鼓勵與教誨，至深銘感；孫師宕越、石師再添、陳師國彥、陳師國章、王師秋原、王師洪文、何師金鑄、張師長義、鄧師天德、蔡師文彩、姜師蘭虹、施師添福、楊師萬全、陳師憲明、李師薰楓、鄭師勝華等時加匨勉並多所教益亦不敢或忘。而恩師嚴勝雄博士長期以來永不鬆懈的治學態度和為人處事的風範更是惠我良多，尤其每每於週末或夜晚犧牲假日或休息時間，諄諄教誨，啟迪思路，引介新知，從無倦容，在此謹致最深摯的敬意與謝忱。最後也要感謝內子鄭素琴女士多年來辛苦持家，照顧立心，使我無後顧之憂致力於研究工作；文成之際又細心協助清繪原圖與校對文稿，每每陪我工作直至

深夜，也願於此表達衷心的感謝。末了，謹以此書紀念慈母，更願百尺竿頭，續求進步，以報答所有關心我、幫助我的師長和親友。本書出版之際，欣悉榮獲國科會本學年度甲種研究獎助費，也藉此申致謝意。

　　筆者學識淺陋，撰寫本書雖力求謹慎並遵守學術研究規範，惟闕漏謬誤之處在所難免，尚祈高明方家有以正之，無任感幸。

吳連賞謹識於民國八十年四月十六日臺北寓所

台灣地區工業發展的過程
及其環境結構的變遷

目　次

圖　次

表　次

提　　要

　　本文旨在追溯探討台灣工業發展的背景條件和時空過程，並闡明其階段性變遷。其次討論工業投資環境的變化及其因應作法，最後則究明工業發展的內外在環境結構之變遷。全文透過地理學觀點，以官方資料、問卷調查和多變量分析為基礎，並參考相關之中外文獻詳加闡釋。研究結果顯示：

　　台灣地區具備工業發展的各項區位及背景條件，故工業化進展既快速且成功。清領時期具邊陲依賴色彩，至劉銘傳主台才奠下若干工業與交通建設基礎；日據時期的多項興革則為戰後工業化投入重要的社會投資；戰後共歷經四期演變，其運作機制是先進口補助，而進口與出口替代，繼之以出口擴張，目前則進、出口並重。全期工業結構變化係數高達 67 ％，顯示電機電子、化學、基本金屬及運輸等重化工業已取代前期食品、紡織等輕工業，而成為主導產業。

　　區域經濟指標分析顯示：工業的空間發展過程有其階段性差異和空間重組之強烈色彩，由前期分立而漸向南北兩大都會群聚；中期形成中部的第三聚集帶；後期則由向心轉為離心發展，進而形成七大工業聚集地帶。不論業別或區域分布，均由前期相對集中轉變為後期的相對分散，而且分散化幅度正與時俱增，此應與都市土地分區使用管制的嚴格執行、分散型工業化的努力以及都市化不經濟有密切關係。

　　因子分析得知工業區位選擇有五項主要複合因素；而工業區位的轉移則主受四個因子類型的影響。由於內在和外在因素的交互衝擊，已使國內工業投資環境逐漸惡化。藉數量化Ⅱ類進行海外投資類型的判別分析，結果發現：產業的外移設廠與六項投資條件密切相關，依據範疇係數的全距大小，其影響強度依序是工廠規模、產品類型、技術來源、產品銷售方式、有無分廠和有無轉投資等六個變項（全距由最高的 2.35577 至最低的 0.51546 不等）。經調查發現已經外移或進行海外設廠中的工廠，不論電子或紡織工業，除少數廠商外，大多屬技術層次較低且乏升級意願之勞力密集工廠。唯面臨經營困境，廠商均已進行有效應變。

　　歷經 40 年快速工業發展，整個社會形貌與區域環境已出現劇烈變化，這些變化就內在言，共五項因子：由於政府作為和政策法令影響力強大，且均能密切配合各期整體社經條件和國際經濟情勢之演變，故台灣經驗引人注目；其次都市人口和工業分布的集中化，使都市體系與區域經濟失衡益形嚴重；農業商品化與勞工專業化，加上社會變遷及金錢遊戲風行，致勞力缺乏嚴重；因受到內外因素衝擊，使投資條件惡化，工廠營運困難；而工業發展在空間上偏頗不均和工業化衝擊使農村結構和農業發展面臨嚴重困境。至於外在方面則包括四項因子：首先表現在工業產品出口和原料進口雙重依賴上，致其運作深受景氣變動影響；而過去太重經濟而輕環保，致工業公害與環境污染問題嚴重；科技進步與生產專業化也使工業連鎖益趨緊密；最後台灣對外市場潛力和人力資源雖被看好，但積極匡正社會風氣使導入生產事業正途更是重要的前提條件。

　　台灣工業發展的趨勢將朝向科技主導層次，因此如何提高技術自主能力至關重要；而未來工業空間變化將繼續朝分散化方向邁進；對內對外投資環境的改善亦為當前切要課題。至於嚴密的環境控制應為經濟恢復成長的重要策略，而環境價值的確保更是未來工業實質成長的最佳憑證。

Abstract

The purpose of this dissertation is to examine the background conditions, the locational factors, and the time-space process of industrial development, as well as to discuss the changes of industrial investment environment and their responses. It also analyzes the changes of environmental structure on industrial development in Taiwan. This paper has been conducted through the geographic viewpoint by means of official statistics, surveys by questionnaires and multivariate analysis. In addtion to official materials, both local and foreign, literature has been consulted and interpreted to support this research. The findings can be summarized as follows :

1.Taiwan possesses many predominant backgrounds and locational conditions which are favorable for its industrial development, hence the progress of industrialization is rapid. During the Japanese era (1895—1945) ,though the industrial infrastructure in Taiwan was patterned after the model of colonial economy, it brought some social investment and indirect capital to the industrialization of Taiwan area. The changing coefficient of industrial structure for the whole periods reached 67% ; it showed that the heavy chemical industries substituted for the light industries as the leading industries.

2.According to the result of several regional economy index analysis, it was found that the spatial process of industrial development has its periodic difference and it shows the strong tendency of spatial relocation and re-organization in the former stage (before 1966) , the direction of industrial development first showed the phenomenon of scattered location, and the direction had a tendency to locate in a cluster to round Taipei & Kaohsiung metropolitan area. In the middle stage (1971—76) , it formed the third agglomeration belt in Taichung and Janghua area. In the last stage (1981—86) , the direction of industrial development in Taiwan turned from the pattern of centripetal to centrifugal development; gradually, it formed the seven industrial aggolmeration belts in Taiwan area. From both the analysis of industrial categories and regional distribution, it showed the tendency of decentralization, furthermore it was found that the extent and speed of centrifugal on industrial development were added day by day. We believe that it is the inevitable result of urban development and the impact of diseconomies of urbanization.

3. Through factor analysis, industrial location chosen by firms can be contributed into five main complex factor types ; and the relocation of industrial loctaion by firms is related to four factor types. Due to the interacting impact by internal and external factors, the environment of domestic industrial investment has been gradually deteriorated. To analyze the pattern of overseas investment by means of quantitative model II, it was found that the overseas investment by firms was closely related to six items : factory size, products category, the source of original technology, sale type of products, subplant and investment of

other industries. As the analysis shown, the range value dropped from the highest 2.35577 to the lowest 0.51546.

4.Due to the widespread and speedy growth of industries, the whole social circumstances and regional environment have exhibited strong changes during the past 40 years. Also by factor analysis, the changes of environmental structure on industrial development include two parts : internal and external environmental structure. The former is divided into five factor types, and the latter can be classified into four factor types.

5.The trend of industrial development will turn into technology-oriented level for the future in Taiwan ; hence it is very important to strengthen our independent ability on industrial technology. Through the findings of this study we can predict that the spatial changes of industrial development will continue to turn to the direction of decentralization. How to decentralize the domestic industry in Taiwan is an important task. On the other hand, the situation of investment environment for industrial development needs to be improved and dealt with at once. Lastly, we believe that the strict environmental control be not only the best strategy for economic recovery, but also the conservation of environmental value it is the best promise for concrete industrial growth in the future.

台灣地區工業發展的過程
及其環境結構的變遷

第一章　緒論

1-1　研究觀點、定義與動機

　　十八世紀末葉工業革命發生以後，幾乎所有開發中國家，爲了加速經濟發展並提高國民所得，多以加速推行工業化爲主要手段，因此工業化常被視爲開發中國家解決貧窮問題的萬靈丹[1]。並可藉此終止其落後的局面，而使經濟發展現代化。本文所指的工業發展或工業化的操作定義，是指狹義的發展工業，亦即原料經過加工，而製成財貨或用具的過程。由於工業活動在經濟發展過程中角色逐漸重要，透過工業發展計劃的推動和專業化生產來滿足人們對產品的需求，於是資本和勞工大量聚集，生產區位的集中益形顯著，透過其關聯效果的有效運作，乃構成都市內部的實質內容。因此工業化（Industrialization）的發展可以視爲經濟組織和社會整合的一般化過程，也是現代都市發展的基礎[2]。

　　四十年來台灣地區的經濟發展，經由工業發展策略的正確引導，以及有計劃的逐步推動各項經濟建設，努力以赴的結果早已使我國脫離落後經濟形態，甚至被譽爲開發中國家經濟發展的楷模。如以經濟發展的面貌來看，不難察覺在兩方面出現了根本的改變：其一是使我國從一個基本上封閉的經濟結構轉變爲出口導向的經濟結構；其二是使我國由農業經濟社會轉變成工業經濟社會[3]。此種轉變由以下數據可見端倪：目前我國總出口金額中，工業產品的比重達94％，而民國42年，此一比重僅及8％；再從產業結構來看，工業所占比重爲50％，而民國42年僅爲21％；就業結構中工業人口比重爲42％，而民國42年僅爲18％[4]。顯然台

1

灣地區已成功的實現了工業化的努力所欲達成的目標，而且正大步邁向現代化的「工業國家」。因此，探討台灣工業發展的前因後果，以及工業發展的時間與空間演變過程，乃成爲必要的基礎工作。此爲本文第一個研究動機。

其次檢討學者相關的研究也可發現：在快速的都市化和工業化二者相伴而來的交互作用之下，已促使人口分布與經濟活動（特別是工業發展活動）產生高度集中化現象。前者明顯的表現在都市內部結構上，即因都市化而造成台灣都市人口成長的兩極化現象；後者則表現在因工業化而使工業活動不斷引進都市地區及其鄰近衛星市鎮，其結果使工業發展的區域聚集現象益見顯著❺。若以目前工業的區域分布形態來看，主要是集中在台灣西部平原的北、中、南三區，三個區域的工廠分布已合占全台灣所有工廠的95％以上，而東部地區則微不足道。主要的聚集區域是在北部的台北桃園、中部的台中彰化和南部的台南高雄等工業地帶❻。顯然各地區間的工廠分布極不平均，這種工業區位配置的集中化現象，將使各區域工業發展產生差異或偏差，其結果已造成台灣地區各區域工業發展不均衡，亦即空間經濟的不均衡現象。若任其發展，勢將違背「區域均富」的總目標，因此探究台灣各縣市工業發展的區域差異及其形成過程，乃成爲本文第二個研究旨趣所在。

其次，再就空間層面和區域綜合層面來看，歷經四十年的快速經濟發展，確已使台灣經濟結構由農業爲主的餬口經濟轉變爲工業爲主的富裕經濟。然而在這同時我們卻也發現：台灣地區的整體工業發展環境業已發生急遽的變遷。若從巨觀（ Macro ）的角度看，不論是外在抑或內在的環境結構均已產生重大變化，例如前者明顯表現在工業空間分布的偏頗不均、農村結構面臨嚴厲衝擊、工業公害及環境污染問題嚴重等事實上；而後者也可從都市與工業人口的集中化、勞工日漸短缺以及工業生產連鎖關係密切等現象窺知梗概。至於從微觀（ Micro ）的角度出發，似乎也可清楚看出國內廠商的對內及對外的投資環境也已出現明顯的變化，例如國內投資趨緩和海外投資漸趨熱絡等。因此，從這兩個層面來進一步考察台灣工業發展環境的變化情形也成爲本研究的重要課題，亦即本文的第三個研

究動機。

　至於本文所謂的工業發展的內外在環境結構，其操作定義是指：在工業發展的動態演進過程中，所呈現出來的內隱性和外顯性，亦即無形和有形的空間現象。質言之，即指台灣在經歷四十年的工業化衝擊之後，其在空間上所呈現的環境變貌。更廣泛的說，此一環境結構自也包含了廠商對內或對外的整體投資環境。基本上，在此一過程中的動態平衡或律動現象，也是一個具體而微的穩定結構，而形成一個有機複合體（ Organic Complex ），同時有其一定的運作機制（ Mechanism ）。

　綜言之，本研究即著眼於上述三個研究旨趣，透過地理學的整體的、綜合的、系統的及規範的等四個研究觀點❼。針對「台灣工業發展過程和工業環境結構變遷」此一主題深入探討。具體的說，本文的研究脈絡是先通過時間面來探索工業發展的歷程，繼之以空間面來通盤考察工業發展的空間變化；最後則透過綜合面來掌握台灣工業發展環境的變貌。總之，本文就是希望透過地理學的觀點，來追溯探討台灣工業化的量變和質變的動態過程❽。

1-2　文獻探討與研究目的

　國內有關台灣工業發展的研究，大多以工業發展策略、工業經濟，或工業化與經濟發展等方面為主，亦即側重經濟層面之分析；至於第二部分，則是以區位觀點從事工業發展與區位變遷的相關研究，這方面為數亦多；另外以綜合觀點來探討台灣整體工業環境之變化的文獻，則為數較少，以下即先就此三部分文獻作一簡單的回顧：

㈠工業發展的經濟面研究：

　此類研究的主要旨趣大都擺在工業發展與結構變遷上，這類文獻可說不勝枚舉，例如施敏雄、李庸三（ 1976 ）、吳榮義（ 1976 ）、林照雄（ 1978 ）、李昭考、（ 1979 ）、張溫波、連大祥（ 1981 ）、陳俊勳（ 1983 ）、孫震、李厚

3

美（1983）、李高朝（1983）、劉泰英（1985）、黃智輝（1984）、許華珍（1984）、翁嘉禧（1984）等篇論著可資代表❾。

（二）工業發展的區位面研究：

　　這方面的研究主題則偏重工業發展的區位分析，主要包括嚴勝雄（1973，1974，1975）、李薰楓（1977，1982，1983，1985，1986）、梁國常（1978）、陳明福（1978）、賴金文（1980）、薛益忠（1980）、程仁宏（1981）、張永乾（1982）、林郁欽（1983，1986，1989）、李敏慧（1984）、林誠偉（1985）、吳威德（1985）、賴光政（1985）、陳貞彥（1974）、王孝賢（1977）、李穗玲（1989）、鍾懿萍（1984）及吳連賞（1986）等論文❿可爲代表。至於專就有計劃的工業區進行研究者，也有嚴勝雄等（1978）、褚明典（1975）、鄭米蓮（1980）、陳國川（1981）、王嘉明（1985）及吳連賞（1983）等數篇論文⓫可資代表。

（三）工業發展環境的綜合面研究：

　　這類研究與本文相關的有：何芳子（1972）、辛晚教（1978）、李登榜（1977）、蔡世雋（1977）、王信彥（1978）、李俊發（1980）、林鴻儒（1980）、張長義（1980）、蔡宏進（1981）、楊雲龍（1982）、李玉娟（1987）等論著爲⓬代表。

　　至於國外工業地理的相關研究，不但開始很早而且研究成果相當豐碩⓭，這裏僅就較重要而對本文直接啓發者略作檢討。首先本研究的理論基礎包括了1.Weber的「工業區位理論」⓮，他以最小成本立場建構理論；2.Lösch則以各企業的最大利潤觀點來建立他的「區位經濟理論」⓯；3.Isard的「空間經濟理論」⓰，他在空間經濟和區域科學的研究領域中，將計量方法和空間理論加以融合，而作爲區域分析的重要手段，此一方法對本文影響很大；4.Keeble從廣泛的角度所歸納整理的「空間經濟發展模式」⓱。此外，相關的西文論著不勝枚舉，其中較重要且與本文有關的包括以下兩部分：

　　（一）有關工業發展的區位研究

Smith（1966）的「工業區位地理研究的理論架構」[18]一文，曾透過模式的建立來驗證不同因子對工廠和工業區位的影響，此文對本研究進行區位問題的調查，提供了基本架構。而Stafford（1960）[19]、 Reinemann（1960）[20]、 Pred（1964）[21]、 Steed（1972）[22]、 Malecki（1979）[23]等人則分別就個別工業或區域整體的區位問題進行廣泛地探討；至於Karan（1964）[24]、Keeble（1968）[25]、 Logan（1964）[26]、Norton（1979）[27]、Mason（1980）[28]、Healey（1981）[29]、Bale（1985）[30]、Scott（1982）[31]、Raphael（1985）[32]等人則也分別針對工廠遷移、區位調整和工業的分散化等項主題作深入的研究。另外，Wood（1969）[33]、Lever（1972）[34]、Heron（1980）[35]、及Breandan（1984）[36]等也曾就工業發展的空間聯合和機能連鎖詳作分析，基本上這些文獻都是本文論述的重要參考資料。

（二）有關區域工業發展環境之研究

這方面的文獻也相當多，其研究的焦點可大別爲三：其一是從理論和實用的觀點來考察工業發展活動對於工業環境（如都市或其他區域）所構成的各種影響，例如Gunnar（1977）[37]即從古典區位理論的日漸式微，來強調工業發展活動與現代社會變遷之間的相互關係；Scott（1986）[38]更以地理學觀點詳細討論工業化和都市化二者發展的動態過程，以及此二者對於都市環境的衝擊；而Won Yong Kwon（1981）[39]則以漢城爲例，深入研究工業對都市的影響和工業再區位對都市經濟的衝擊；至於Samuel（1979）[40]則從巨視角度深入探究台灣分散型工業化對於鄉村發展和農村結構的各項衝擊。

其次，第二部分的研究主要是探討工業發展和區域發展的關係，當然也牽涉到政策的層面，例如Scott（1986）[41]及Thomas（1975）[42]等人即以科技工業爲例說明其與區域發展的關係；而Chinitz（1986）[43]、Hoare（1986）[44]、Nicholson（1981）[45]、Steed（1971）[46]等則泛論工業變化與區域發展的關係；另外也有幾篇著作特別強調政府的工業發展政策對於區域發展所構成的影響，可以Huddle（1967）[47]、Leeming（1985）[48]、及Dewar（1986）、[49]爲代表。

最後第三部分則是有關工業發展及其對於環境所構成的衝擊之研究，例如 Stafford（1985）[50]、Chapman（1980）[51]從環境保護的角度出發，討論工業區位與環境政策的關係，前者還進行了實地的問卷調查；而Miyakawa（1981）[52]、Sit（1980）[53]及Langton（1984）[54]等三人則更廣泛地探究工業發展對於社區發展和人文環境的衝突情形，這些文獻也對本研究有直接而積極的啓發作用。

綜合以上的文獻探討，並配合前述的研究動機，乃將研究焦點擺在台灣工業發展的過程和工業發展環境結構變遷這個主題上。明確的説，本研究是要達成以下六個目的：

1. 檢討台灣工業發展的背景條件和區位因素，並討論近世紀以來，台灣工業發展過程中的階段性劃分和結構性轉變。

2. 探討台灣地區工業發展的空間變化，以闡明工業發展的區域差異和區域特性。

3. 瞭解廠商的區位認知與區位調適趨勢，並進而掌握工業廠商對內和對外投資環境的改變情形及其因應對策。

4. 討論國內廠商的海外投資趨向，並探討海外投資類型與屬性，以説明其影響要因和利弊得失。

5. 究明台灣地區現階段工業發展的內外在環境結構及其變遷情形，以闡明工業發展和區域開發的關係。

6. 討論台灣工業發展和環境變遷的未來趨向，最後依據世界產業發展趨勢與本研究結果，提出若干政策性建議。

1-3 研究架構、步驟與研究方法

基於上述的動機與目的，建立本研究之架構（如圖1-1），各項工作即依此架構逐步展開。至於研究方法與步驟則分項説明如下：

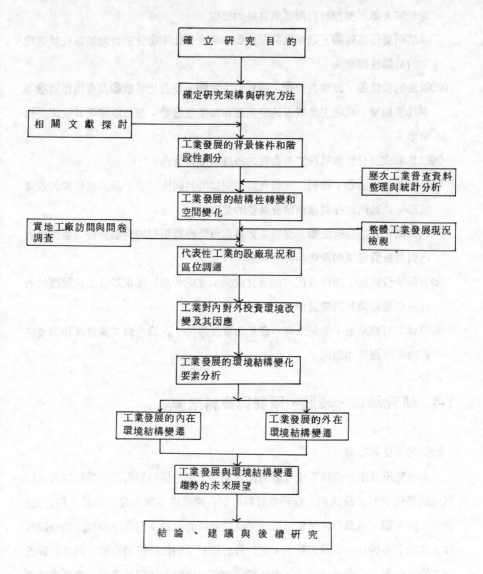

圖1-1　研究構想與流程

㈠透過綜合歸納分析法，檢討台灣工業發展的背景條件和區位因素，並藉過去的相關文獻追溯探討台灣工業發展的歷程。

㈡以結構變化係數⑤⑤、錢納利分類法⑤⑥和霍夫曼比率⑤⑦分析台灣工業發展過程中的結構性轉變。

㈢以吉尼係數⑤⑧、區位商數⑤⑨、過剩員工數⑥⑩、地方化係數⑥①及吉馬指數⑥②等項計量指標，說明工業發展的空間分布和集散趨勢，並藉以闡明其空間變化情形。

㈣以基本統計分析現階段工業廠商的設廠現況與特色。

㈤以因子分析法⑥③，探討工業廠商區位認知的共同性因素，以及業別間的差異情形。並藉同法探究廠商區位調整的要因。

㈥以數量化Ⅱ類分析法⑥④，進行工業廠商海外投資類型的判別分析，並探討對內對外投資環境的變化與因應情形。

㈦以因子分析法，並配合已有的研究成果，究明台灣地區現階段工業發展的內外在環境結構及其變遷情形。

㈧根據本研究結果，並配合世界產業的發展趨勢，討論台灣工業發展和環境變遷的未來趨勢和方向。

1-4　研究單位、時間、限制與資料來源

㈠研究單位與時間

本研究所選用的分析單位可分兩部分：第一部份係討論台灣工業化發展過程與空間變化情形，故採用工商普查資料所劃分的標準，即以位於本島之內的352個市、鄉、鎮、區為分析單位，而有關區位結構的討論，則僅以較粗略的空間尺度，即以全島的廿一個縣市為之。至於分析時期，則始於清領時期，而終於最近一次的普查年，即西元1986年。由於民國43年（1954）才開始有第一次的工商普查資料，因之本研究的分析時間也以1954－1986，亦即前後七次的普查資料時間

爲分析重點。至於第二部份，因受到調查之限制，故逕將問卷資料區分爲北部地區、中部地區與南部地區等三區進行分析。

(二)研究對象與限制

　　本研究的第一部份因討論整體工業發展，故以全島廿一縣市的工業發展爲對象，特別要強調的是本文所定義的工業係以製造業爲主。而工業之分類係依國際行業標準分類法，亦即採用行政院主計處製造業中分類爲主（共計二十大類），並將數次不統一的分類細項加以處理整合，如附錄1。至於第二部份資料，由於係採用親自訪問調查和郵寄調查，若欲將台灣地區廿項業別均納入調查，實非個人能力所能及，故僅選取兩項最具代表性的業別即紡織工業和電子電機工業爲調查分析對象。選擇此二業別的理由，係因紡織業在早期即已扮演重要角色，唯目前已有衰退跡象；至於電子電機業則情勢看好，已成目前最興盛的製造業，此二業一興一衰，甚具代表性特色。若能就此二業作深入調查，應當足以窺知台灣工業環境之全貌。

(三)資料來源

1.官方普查或統計資料

　　包括歷次台閩地區工商普查資料，即第一次至第七次（即民國43、50、55、60、65、70、75年），此項資料係拷貝自主計處及經建會住都處重新整理之電腦資料，並經輸入PC個人電腦之硬碟內，以供隨時處理資料之需要。本研究分析所選用的指標主要包括本島之內廿一縣市，共計352個市鄉鎮區的廿項業別之工廠數、員工數、生產值及工廠用地面積等四項。其他官方資料還包括各年期「台閩地區人口普查報告及人口統計」、「都市及區域發展統計彙編」、「各縣市統計要覽」、「台灣省統計提要」、「台灣商工統計」以及「Taiwan Statistical Data Book 」（1988）等官方報告。所有本文涉及的較繁複二手資料，均經由Lotus 123進行統計運算。

2.實地訪問與問卷調查資料

　　首先依據設計之問卷調查表（如附錄）進行實地抽樣調查，以經濟部工廠校

正調查聯繫小組編印之「工廠校正暨營運調查報告」（76年）和台灣地區各行業工廠名錄第二冊、第五冊」等書做爲抽樣的依據與背景資料。基本上以民營企業負責人爲調查填表或訪問對象，抽樣方法係採用分層比例抽樣調查法㊿。亦即按工業類別（分紡織與電子電機二業）、工廠規模（分五級）兩項指標，各依其在北、中、南三區（東部的工廠比例僅占0.2％，故刪除）和在各規模別的相對比例進行抽樣。調查方法以親自訪問爲主，但爲求區域的普及性，乃以全省各縣市（花蓮、台東、澎湖除外）的郵寄問卷爲輔。至於調查項目則包括經營概況、遷廠情形及考慮因素、設廠區位因素、作業生產及工業連鎖情形、工業發展的內外在環境變化以及廠商的具體建議等要目（如附錄2）。

　　實地訪問調查區域，紡織業是以台北縣和彰化縣爲主，乃因這兩縣市已合占全台紡織廠的50％；而電子業則以台北縣市爲主，也因其工廠比重也占近50％，頗具代表性㊿。本研究的調查結果詳如表1－1～3。合計兩業共調查153家廠商，其中廢卷6份，可用率爲96.1％。至於郵寄問卷總共寄發752份，前後共回收了128份，回收率17.0％，其中廢卷達29份，可用率爲77.3％。總計兩項調查共獲取工廠問卷281份，而兩項業別的母體總數爲11,620家，故實際抽樣率爲2.13％，剔除35份廢卷，本研究共獲有效樣本數247份。 這些問卷資料均經編碼 （Coding），並詳加過濾與檢誤後輸入電腦硬碟內，以供隨時讀取資料，俾便運算。資料分析使用IBM PC 16位元電腦，並套用SPSS（Statistical Package of the Social Science）電腦程式進行多變量統計分析，以達成本研究之目的。

表1-1　電子業的調查結果

調　査　地　區	調　查　時　間	工作天數	完成家數	可用家數
松山、南港、內湖	78.7.3－7.8	6	22	21
新店、木柵、景美	78.7.10－7.15	6	17	16
北投、淡水	78.7.17－7.21	5	13	13
板橋、新莊、樹林	78.7.24－7.26	3	8	7
中和、土城	78.7.27	1	5	5
泰山、五股、蘆洲、林口	78.7.28－29	2	6	6
汐止	78.7.31	1	4	4
新竹科學工業園區	78.8.1	1	2	2
合計19區	78.7.3－78.8.1	25	77	74

資料來源：本研究整理

表1-2　紡織業的調查結果

調　査　地　區	調　查　時　間	工作天數	完成家數	可用家數
板橋、新莊、樹林	78.8.2－8.5	4	18	17
中和、土城	78.8.7－8.9	3	9	8
新店、木柵	78.8.10－8.11	2	6	6
三重、五股	78.8.14－8.16	3	10	10
彰化和美	78.8.21－8.24	4	18	17
彰化伸港	78.8.25－8.26	2	8	8
彰化線西、社頭	78.8.28－8.31	4	7	7
合計13區	78.8.2－8.31	22	76	73

資料來源：本研究整理

表1-3 本研究實施問卷調查統計

項目 業別	母群體廠家數 紡織業	%	電子業	%	寄發問卷數 紡織業	%	電子業	%	回收問卷數 紡織業	%	電子業	%	實地調查問卷數 紡織業	%	電子業	%	合計複得樣本數 紡織業	%	電子業	%
北部地區	2,541	51.4	4,633	69.6	156	52.0	315	69.7	17	58.6	79	80.0	42	55.3	77	100.0	58	55.8	157	88.7
中部地區	1,398	36.4	1,006	15.1	108	36.0	62	13.7	6	20.7	9	9.0	34	44.7	0	0.0	40	38.5	9	5.1
南部地區	602	12.2	1,020	15.3	3.6	12.0	75	16.6	6	20.7	11	11.0	0	0.0	0	0.0	6	5.7	11	6.2
合　計	4,941	100.0	6,659	100.0	300	100.0	452	100.0	29	100.0	99	100.0	76	100.0	77	100.0	104	100.0	177	100.0

註1.母群體資料取自：台灣地區工廠校正要營運調查報告，經濟部工廠校正調查聯繫小組編印，1988,第108～109頁。此項資料有續實地址可查，故實查時亦可以此為母體。

2.母體總廠家數11,620，寄發問卷總數752（抽樣率6.48%），問卷回收數128（回收率17.0%）。

3.問卷回收總數129家中廢卷29張，可用率為77.3%；實地調查問卷總數153家，廢卷6張，可用率96.1%。

合計複得得總樣本數281份（實際抽樣率2.13%），其中廢卷35份，可用率為87.9%。

註釋：

❶ R.J.Johnston ed., The Dictionary of Human Geography, Oxford:Blackwell Reference, 1981.pp.167-168.

❷ A.J. Scott, "Industrialization and Urbanization： A Geographical Agenda," A.A.A. G., 76（1）：25～37（1986）．

❸李國鼎，「工業發展的哲學與倫理」，自由中國之工業，62（5）：1（1984）。

❹ Taiwan Statistical Data Book, Council for Economic Planning and Development, R. O.C., 1988,P.16, P.213.

❺嚴勝雄，「台灣主要區域工業結構之比較分析」，企業與經濟，3（11）：26－27（1974）。

❻林郁欽，「台灣主要工業地帶區位變遷及其特性之研究」，台銀季刊，37（1）：223－224（1986）。

❼嚴勝雄，從科學發展試論區域科學理論之建立，台北：六國出版社，1985，第66－74頁。

❽此處係借用生態學的進化概念，有關區域質量變化的深入討論，參閱嚴勝雄，「都市與區域研究之構思」，台灣大學建築與城鄉研究學報，4（1）：41－42（1989）。

❾施敏雄、李庸三，「台灣工業發展方向與結構轉變」，自由中國之工業，46（2）：2－20（1976）。

吳榮義，「台灣都市化與工業化的研究」，興大法商學報，12：219－251（1976）。

林照雄，「台灣工業化過程之研究」，台銀季刊，29（4）：73－103（1978）。

李昭考，「台灣工業結構之研究：（1951－1977）」，經濟研究，22：109－156（1979）。

張溫波、連大祥，「台灣產業結構變遷之研究」，台銀季刊，32（1）：1－11（1981）。

林景源，台灣工業化之研究，台灣研究叢刊第117種，台北：台灣銀行經濟研究室，1981。

陳俊勳，「台灣經濟發展的轉捩點」，台銀季刊，34（2）：1－27（1983）。

孫震、李厚美，「台灣工業發展之前瞻與回顧」，台灣工業發展會議上冊，台北：中研院經濟研究所，1983，第29－51頁。

李高朝，「我國產業結構之檢討」，當前經濟問題研討論文集，台北：中國經濟學會，1983，第3－46頁。

劉泰英等，從先進國家工業發展過程及趨勢展望我國未來工業發展方向之研究，行政院經建會委託台灣經濟研究所研究，台北：台灣經濟研究所，1985。

黃智輝，台灣工業發展策略與貿易型態之轉變，台灣研究叢刊第120種，台北：台灣銀行經濟研究室，1984。

許華珍，台灣工業發展策略之研究，中興大學經濟學研究所碩士論文，1984。

翁嘉禧，台灣工業發展計畫的評估，中山大學中山學術研究所碩士論文，1984。，

⓾嚴勝雄，「台灣北部之工業發展及其結構變遷之研究」，台銀季刊，24（3）：268－293（1973）。

「台灣主要區域工業結構之比較分析」，企業與經濟，3（11）：24－35（1974）。

「台灣地區性工業化類型之研究」，自由中國之工業，44（1）：2－14（1975）。

李薰楓，「台北縣工業結構變遷的計量研究」，地學論集，351－364頁，台北：中華學術院印行，1977。

「台北市舊市區製造業區位的計量分析」，師大地理研究報告，8：41－77（1982）。

台灣地區製造業區位變遷的計量研究，台灣研究叢刊第118種，台北：台銀經濟研究室，1983。

「台灣五大都市就業區位變遷的計量分析」，師大地理研究報告，12：1－39（1985）。

「台灣地區工業化轉型之分析」，地學彙刊，6：83－90（1986）。

梁國常，「台灣北區製造業空間結構之研究」，台銀季刊，29（2）：140－177（1978）。

陳明福，台灣地區製造業區域配置之研究，中興大學農經研究所碩士論文，1978。

賴金文，「台灣地區製造業空間分布類型之研究」，台銀季刊，31（3）：1－33（1980）。

薛益忠，「台灣地區製造業地理分布之分析」，地學彙刊，4：152－168（1980）。

程仁宏，台灣北區縱貫公路沿線鄉鎮工廠規模變遷之研究，文大地學研究所碩士論文，
　　　　1981。

張永乾，台灣北區各都市圈製造業結構及其變遷之研究，文大地學研究所碩士論文，1982。

林郁欽，「台北都會區製造業工廠設置的區位行爲之研究」，台銀季刊，34（4）：123－164
　　　　（1983）。

　　　　「台灣主要工業地帶區位變遷及其特性之研究」，台銀季刊，37（1）：
　　　　219－243（1986）。

　　　　「台灣北區生活圈製造業結構與區位調適之研究」，台銀季刊，40（3）：111－
　　　　226（1989）。

李敏慧，台灣北區電子工業之空間分布及其區位因素之探討，師大地理研究所碩士論文
　　　　，1984。

林誠偉，台北地區印刷業的區位與聯鎖，師大地理研究所碩士論文，1985。

吳威德，鶯歌陶瓷工業空間結構之研究，文大地學研究所碩士論文，1985。

賴光政，台灣地區製造業發展與工業區位政策之研訂，經建會都市及住宅發展處，1985。

陳貞彥，嘉義雲林區域工業發展之研究，中興大學都市計劃研究所碩士論文，1974。

王孝賢，台南市工業發展之研究，中興大學都市計劃研究所碩士論文，1977。

李穗玲，台灣地區工業空間發展變遷之研究，淡江大學建築研究所碩士論文，1989。

鍾懿萍，台灣地區工業空間集散分布之研究，台大土木工程學研究所碩士論文，1984。

吳連賞　，「高雄市的工業發展過程和工業結構的變遷」，高雄工專學報，16：509－551（
1986）。

⑪嚴勝雄等，「台灣雲嘉工業區之使用現況與評估」，台銀季刊，29（2）：178－194（1978
）。

褚明典，台灣地區現階段工業區開發之研究，政大地政研所碩士論文，1975。

鄭米蓮，加工出口區勞動力供需之研究，台大經濟研究所碩士論文，1980。

陳國川，「農村工業區對鄉村地區人口就業及外流的影響」，師大地理研究報告，8：78－

112（1982）。

王嘉明，<u>台灣地區工業區開發區位與利用之研究</u>，淡江大學建築研究所碩士論文，1985。

吳連賞，「高雄加工出口區的工業發展」，台銀季刊，34（2）：155－198（1983）。

⑫何芳子，<u>台北市工業分布之調查與分析</u>，台北市政府工務局印行，1972。

辛晚教，<u>台北市工業秩序之檢討及改進方案</u>，中興大學都市計劃研究所，1978。

李登榜，<u>台北市現有工業之檢討與改進</u>，中興大學都市計劃研究所碩士論文，1977。

蔡世雋，<u>台北市公害工業問題及其外遷的可行性研究</u>，中興大學都市計劃研究所碩士論文，1977。

王信彥，<u>外在環境對企業策略形成及績效影響之研究</u>，政大企管研究所碩士論文，1978。

彭光輝，<u>都市中小企業設廠擴廠遷廠之研究</u>，文大政治研究所碩士論文，1978。

李俊發，<u>新竹科學工業園區對北部空間結構之影響</u>，中興大學都市計劃研究所碩士論文，1980。

林鴻儒，<u>外在環境對企業之影響</u>，政大企管研究所碩士論文，1980。

張長義，<u>台灣北部沿海工業區環境影響評估示範計劃</u>，社會經濟環境影響評估研究報告，行政院衛生署委託台大地理研究所及農推研究所研究，1982。

蔡宏進，「台灣鄉村工業發展對緩和人口外流之影響」，台銀季刊，32（1）：153－187（1981）。

楊雲龍，<u>新竹科學工業園區及鄰近地區環境變遷之研究</u>，文大地學研究所碩士論文，1982。

李玉娟，<u>土城地區之工業發展及其對當地環境之影響</u>，文大地學研究所碩士論文，1987。

⑬吳連賞，「工業地理的若干研究課題與研究成果」，師大地理教育，8：71－87（1982）。

⑭ A. Weber, <u>Theory of the Location of Industries</u>, Translated by C.J.Fredrich, The University of Chicago Press, 1968.

⑮ A. Lösch, <u>The Economics of Loction</u>, Translated by W.H. Woglom, Yale Universiy Press，1952.

⑯ W. Isard, <u>Location and Space－Economy</u>, The M.I.T. Press, PP.91－206,1973.

⑰ D.E.Keeble, "Models of Economic Development", <u>Social－Economic Models in</u>

Geography, pp.243—301, Edited by R.J. Chorley and P. Haggett, Happer & Row Publishers, Inc., 1967.

⑱ D.M. Smith, "A Theoretical Framework for Geographical Studies of Industrial location", Econ. Geogr., 42 (2) : 95—113 (1966).

⑲ H.A. Stafford, "Factors in The Location of The Paperboard Container Industry", Eono. Geogr., 36 (3) : 260—266 (1960).

⑳ M.W. Reinemann, "The Pattern and Distribution of Manufacturing in The Chicago Area", Econ. Geogr., 36 (2) : 139—144 (1960).

㉑ A.R. Pred, "The Intrametropolitan Location of American Manufacturing", A.A.A.G., 54 (2) : 165—180 (1964).

㉒ G.P.F. Steed," Centrality and Locational Change : Printing, Publishing, and Clothing in Montreal and Toronto", Eco. Geogr., 52 (3) : 193—205 (1976).

㉓ E.J.Malecki, "Locational Trends in R&D by Large U.S. Corporations, 1965—1977, Econ. Geogr., 55 (4) 309—323 (1979).

㉔ P.P. Karan, "Changes in Indian Industrial Location", A.A.A.G., 54 : 336—354 (1964).

㉕ D.E. Keeble, Industrial Decentralization and the Metropolis : The North-West London Case, Trans. Inst. Br.Geogr. 44 : 1—54 (1968).

㉖ M.I. Logan, "Manufacturing Decentralization in Sydney Metropolitan Area", Econ. Geogr. PP.151—162 , 1964.

㉗ R.D. Norton&J. Rees, "The Product Cycle and the Spatial Decentralization of American Manufacturing, Regional Studies, 13 : 141—151 (1979) 。

㉘ C.M. Mason, "Intra—Urban Plant Reloction : A Case study of Great Manchester, Regional Studies, 14 : 267—283 (1980).

㉙ M.J. Healey, "Locational Adjustment and the Characteristics of Manufacturing Plants, Trans. Inst. Br. Geogr. 6 : 394—412 (1981).

㉚ J.Bale, The Location of Manufacturing Industry, Oliver & Boyd, 1985, pp.193−215.

㉛ A.J. Scott, "Locational Patterns and Dynamics of Industrial Activity in the Modern Metropolis", Urban Studies, 19 : 111−142（1982）.

㉜ Raphael Bar−El, "Industrial Dispersion as an Instrument for the Achievement of Development Goals", Econ. Geogr., 61（3）: 205−222（1985）.

㉝ P.A. Wood, "Industrial Location and Linkage, Area, 2 : 32−38（1969）.

㉞ W.F.Lever, "Industrial Movement, Spatial Association and Functional Linkage, Regional Studies, 6 : 371−384（1972）.

㉟ R.B.Le Heron, "Exports and Linkage Development in Manufacturing Firms : The Example of Export Promotion in New Zealand, Econ. Geogr., 56（4）: 281− 299（1980）.

㊱ Breandán O hUallacháin, "The Identification of Industrial Complexes", A.A.A.G., 74（3）: 421−436（1984）.

㊲ Gunnar TöRNQvist," The geography of Economic Activities : Some Critical Viewpoints on Theory and Application," Econ. Geogr., 53（2）: 153−162（1977）.

㊳同本章註❷。

㊴ Won Yong Kwon, "A Study of the Economic Impact of Industrial Relocation : The case of Seoul," Urban Studies, 18 : 73−90（1981）.

㊵ Samuel P.S. Ho, "Decentralized Industrialization and Rural Development" Evidence from Taiwan," Economic Development and Culture Change, 28（1）: 77−96（1979）.

㊶ A.J. Scott & M. Storper, "High Technology Industry and Regional Development:A Theoretical Critique And Reconstruction", The 17th Norma Wilkinson Memorial Lecture Geographical Papers, U.C.L.A. Department of Geogr. 1986.

㊷ M.D. Thomas & R.B.LE Heron, "Perspectives on Technological Change and the Process of Diffusion in the Manufacturing Sector", Econ. Geogr., 51（3）:

18

231—251 (1975) .

⑭ B. Chinitz, " The Regional Transformation of the American Economy, Urban Studies, 23 : 377—385 (1986) .

⑭ A.G.Hoare, " Regional Industrial Structures in Britain Since the Great War," Geography, 74 (4) : 289—304 (1986) .

⑭ B.M. Nicholson, I. Brinkley and A.W. Evans, " The Role of the Inner City in the Development of Manufacturing Industry, Urban Studies, 18 : 57— 71 (1981) .

⑭ G.P.F. Steed & M.D. Thomas, " Regional Industrial Change : Northern Ireland ", A. A.A.G., 61 (2) : 334—361 (1981) .

⑭ D.L. Huddle, " The Brazilian Industralization—Sources, Patterns, and Policy Mix ", Economic Development and Cultural Change, 15 (4) : 472—479 (1967) .

⑭ F. Leeming, " Chinese Industry—Management Systems and Regional Structures ", Trans. Inst. Br. Geogr., 10 (4) : 413—426 (1985) .

⑭ D.Dewar, A. Todes & V. Watson, " Industrial Decentralization Policy in South-Africa " Rhetoric and Practice ", Urban Studies, 23 : 363—376 (1986) .

⑩ H.A. Stafford, " Environmental Protection and Industrial Location ", A.A.A.G., 75 (2) : 227—240 (1985) .

⑪ K. Chapman, " Environmental Policy and Industrial location ", Area, 12 (3) : 209 —214 (1980) .

⑫ Y. Miyakawa, " Evolution of Industrial Systsm and Industrial Community ", The Science Reports of TOHOKU University, 7TH SERIES (Geography) ,31 (1) : 49—8 3 (1981) .

⑬ V. Sit, " The Location of Urban Small Industries : An Ecological Approach ", Trans, Inst. Br. Geogr., 5 (4) : 413—426 (1980) .

⑭ J. Langton, " The Industrial Revolution and the Regional Geography of England ", Trans. Inst. Br. Geogr., 9 (2) : 145—167 (1984) .

(55)施敏雄、李庸三，「台灣工業發展方向與結構轉變」，自由中國之工業，46（2）：2－20（1976）。

(56) H.B. Chenery, "Patterns of Industrial Growth", American Economic Review, September, 1960.

(57)同註(55)。

(58) W. Isard, Methods of Regional Analysis：An Introduction to Regional Science, The M.I.T. Press, 1960,pp. 232－293.

(59)同註(58)，pp.122－126。

(60)李薰楓，「淺談工業研究的度量方法」，師大地理教育，2：23－25（1976）。

(61)同註㉒。

(62) J.E. Oliver, "Monthly Precipitation Distribution：A Comparative Index," Professional Geographer， 32（3）：300－309（1980）.

(63)曾國雄，多變量解析與其應用，台北：華泰書局，1982，第127－215頁；或參閱曾國雄、鄧振源合著，多變量分析㈠——理論應用篇，台北：松崗電腦圖書資料公司，1986，第149－180；349－361頁。

(64)同註(63)。

(65)林清山，「抽樣方法與樣本大小的決定」，測驗年刊，22：1－19（1980）。

(66)經濟部工廠校正調查聯繫小組，台灣地區工廠校正暨營運調查報告，1988，第108－109頁。

第二章 工業發展的背景因素和工業化過程

2−1 工業發展的背景條件和區位因素

㈠背景條件與非經濟因素

台灣經濟長足進步與工業化成功的背景條件包括：

1.日據時代奠定相當良好的基礎設施，特別是在鐵公路交通、電力、灌溉系統、港灣、機場、都市計畫、農村建設以及政府制度、土地調查及林務計畫等。換言之，一個落後地區從事經濟發展的起步工作，日本人都做了❶。甚至這段期間日人也遺留若干工業基礎，如輕工業、機械及修船業等。同時整體來看，日據時代的末期，由於一連串工業發展計劃的推動，也多少培養了部份人才，這對後來的發展亦有助益。

2.民國38年中央政府遷台，39年6月韓戰爆發，由於中共與蘇聯的壓迫，促使美國對台進行軍援，以安定東亞局勢。當時台灣經濟情勢危急，通貨膨脹尚未有效控制，故1951−1965十五年間平均每年提供約一億美元的資金援助。成爲穩定經濟和促進工業投資的重要助力。無疑的，這股經濟援助資源的分派，對當時台灣經濟發展的影響至深且鉅❷。

3.政府當初採漸進方式推行土地改革及三七五減租，使農民耕者有其田，同時也導致財富重分配，不但自耕農比例大幅提高，農民耕作意願也大爲提高，促進農業穩定成長。另方面土地改革的結果，資本家漸取得大企業股票，例如政府開放農林、工礦、水泥及紙業四大公司轉爲民營，使土地資金移入工業投資，再加上未推行都市平均地權及漲價歸公，使企業家得以迅速累積資本。

4.大陸播遷來台的企業人才和資金之影響，基本上這批資本家由兩群人所組成：其一爲上海幫，以紡織工業爲主，帶來大陸人才、資金、技術和經營方式；其次是閩南幫，他們擁有豐富的經商貿易經驗，在商業資本的轉化爲工業資本

上，扮演了重要的角色。這批人才正好接替日人撤走的空缺，成爲維持和發展台灣工業的主要力量。

5. 政府所採政策適當，同時對經濟比較重視，也積極推動一連串具前瞻性的經建計畫❸，例如先是以農業培養工業，而後輕工業、重化工業及高科技工業循序漸進。同時積極擴大對外貿易，二者相輔相成，才有今天的成果，顯然政府的干預對工業發展具有實質的貢獻。但不容諱言的，農業也遭到嚴重的犧牲和擠壓。

6. 整個時期的世界經濟發展情勢非常有利於台灣的資本累積和工業發展，例如早期在民國40年代，當稻蔗還是台灣經濟的兩大支柱時，台灣米糖得以大量向世界各地銷售，即因彼時正值世界市場嚴重缺乏而且需求殷切。再以糖產爲例，在民國40年代到50年代，台灣糖產量的變化之所以暴起暴落，正是導因於倫敦市場操縱世界糖價，乃使國際市場的糖價波動無常，一直到韓戰時才失去機能；其次台灣紡織業在早期得以全面發展，也與美國市場的配額保障密切相關；再以近期的例子來看，最近數年韓國工潮與學潮不時發生，使世界市場訂單由韓國轉向台灣，也有助工業生產；最後再如近年來日圓大幅升值，日商在工資與生產成本均高的情況下，許多廠商乃紛紛轉向台灣投資，也有助於本省工業發展。

除了以上六項背景條件，或稱經濟因素外，台灣工業發展的成功還要歸因於若干非經濟因素：首先是政府的法律在解嚴以前明令禁止罷工，而且整個勞動市場沒有因爲工會力量過度膨脹而發生扭曲現象，同時過去也沒有暴力威脅的罷工，此應爲台灣工業迅速發展的重要因素；其次是勞工組織（即工會）尚稱健全，雖然我們的工會力量遠不如英美等先進國家，但在過去數十年間，透過工會功能的運作而使勞資雙方充分溝通與和諧相處，這也是工業生產力得以提升和工業迅速成長的關鍵之一；其三則是長期以來各項重要公共設施的相應配合，其對工業的開展也有重要的促進作用；第四就整體而言台灣具備相當良好的勞工教育水準，這與九年國教的普遍推行和勞工教育制度的不斷加強有密切的關係；最後第五項非經濟性因素則是四十餘年來台灣地區不但沒有戰爭的發生，而且透過經

濟發展的總樞紐——即政府機制的有效運作，結果使整個政治、社會和經濟條件能維持在一個相當安定的水準，此亦爲台灣工業快速發展的重要背景。

　　(二)區位因素

　　　由於工業製造的生產過程相當繁複，再加上各地的區位條件互有差異，乃使各業工廠有不同的區位傾向，同時工業在空間上的分布也呈現不同的形態和特徵。基本上，影響工業設廠的成本包括經常成本和生產成本兩項，從理論上說，企業家必然權衡各方面得失，以期尋找一個成本極小點來設廠。例如 Weber 就曾試圖從交通成本、勞力成本和聚集經濟三方面尋求最適當的設廠區位❹。其後的工業區位理論分析家，如Hoover, Lösch，及Isard 等人也都尋求影響區位選擇的基本因素❺。歸納來說，除 Weber 所強調的三大因素外，Hoover強調生產與技術進步成本，以及人口成長和資源因素；Lösch則偏重空間需求之分析，他強調的是利益最大的區位，亦即以總收益超過總成本最大值之原則來選定區位；至於Isard則將經濟學上的替代原理應用到工業區位的分析，來說明各種影響工廠區位因素的最佳組合❻。基於以上區位理論分析基礎，茲就台灣工業得以迅速發展的區位因素分析如下：

1.交通因素：交通運輸的便利與否是影響工業設廠的關鍵因素，不管集貨、加工製造或分配，每項都需要便捷的運輸和廉價的運費。從現實的例子可以發現：運輸網路愈發達、設備愈充足或運費率愈低的地區，其因工業集中分布所獲之聚集利益也愈顯著。圖2-1明示台灣鐵公路交通系統的空間演變過程，顯然台灣地區的工業發展與交通建設有著密不可分的關係；例如到民國30年（1941），日人爲遂行其殖民經濟與掠奪資源的目的，已用強迫手段完成交通系統的初步架構；光復後由於政府積極推動經建計畫，對交通需求益形迫切，鐵公路網更因積極擴展而漸趨完整，最近十餘年來政府更積極推動十大、十二項及十四項建設計畫，其中均以交通建設爲重點，於是建構了目前堪稱完善便捷的鐵公路系統（圖2-1）。若配合海、空運輸的相應加強，包括基隆、高雄、台中與花蓮等港的積極擴建與日趨現代化，以及桃園和高雄國際航空站運量的大幅度

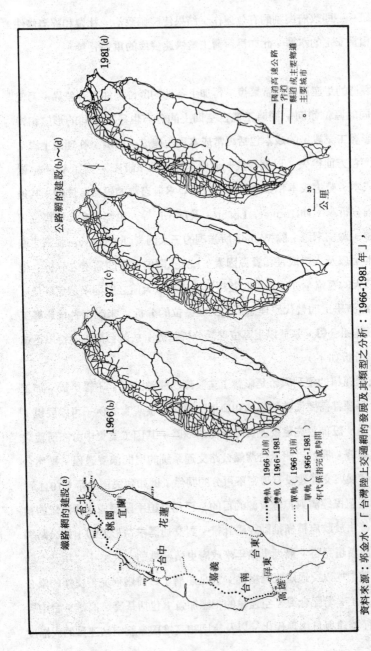

資料來源：郭金水，「台灣陸上交通網的發展及其類型之分析：1966-1981 年」，
中國地理學會會刊，16：109-110（1988）。

圖2-1 台灣地區鐵公路交通網的空間變化

擴增等，顯已大大提高了陸海空三度空間的運輸能量與效率，這種絕佳的交通易達性，更使島內外的生產需求與消費活動蓬勃而熱絡的展開。

2.原料因素：早期的工業製造，因交通不便，故原料是決定設廠的主要因素。例如早期各國的大鋼鐵廠幾乎都位在煤鐵產地。現代則因交通無遠弗屆，原料可以利用低廉運費取自他處，設廠區位乃不必局限於原料產地。以台灣的重工業發展為例，台灣地小人稠，自然資源（尤其是煤、鐵、石油）的生產原料端賴進口，煉油廠、鋼鐵廠乃不得不遷就港口水運而設在高雄地區，透過運費的節省來消減工廠位置距離原料產地過於遙遠之不利因素所造成的負面影響。其次，本省早期的工業化，因礦產、森林資源不豐，如以接近原料（即原料趨向型）之工業論，主要仍為農產品加工製造，期使農工密切配合，並充分利用國內原料；而後實行進口替代，透過進口設備和原料來發展民生工業和輕工業；接著是出口替代和出口擴張。換言之，透過正確的策略導引彌補了原料缺乏的不利條件，同時成功地達成工業發展目標。

3.勞工因素：現代工業生產雖以機器為主，但勞工仍占重要地位。因此工資的高低，勞工來源之可靠性與安定性，以及勞工之生產效率，均為考慮發展工業的因素。若勞工成本在總製造成本中所占比例很高時，則勞工因素應為最重要考慮因素❼。台灣在民國四十年代人口迅速增加，加以農村土地改革後釋出大量勞動力，無疑的這些充裕的勞動力供應和低廉的勞動工資，正是後來勞力密集工業快速擴張的關鍵。甚至可以說：在台灣工業化的過程中，女工的寶貴勞力更是經濟起飛不可或缺的重要因素❽。但曾幾何時，如今台灣的投資環境卻已面臨前所未有的質變，而造成投資低迷的主因仍與勞工密切相關，尤以勞工短缺影響最大。此一事實容於第五章詳作說明。

4.聚集經濟因素：聚集是指經濟活動在空間上之集中，聚集有許多利益及不利之處，此即聚集之經濟與不經濟❾。對個別廠商而言，這些可統稱為外部效果。例如廠商所以選擇工業集中的都市設廠，是因為他可以獲得許多聚集利益，包括：交通、通訊成本減低，接近相關機構洽公方便，而且各項服務相當便

捷❿。台灣地區各縣市因其擁有的有利條件互異，廠商因利之所趨而造成的聚集形態也互有不同，但廠商透過集合而追求區域集中化利益的道理則一。這些例子在台灣各地的工業發展現況中可說俯拾皆是，例如台北松山地區電子工廠的聚集、台中潭子加工區廠房之集中，以及高雄臨海工業區大型重工業的集中設廠等均是。

5. 環境因素：此處主要係指自然地理因素，諸如地形、地質、氣候、水文、溫度、濕度、日照、風向，以及影響環境品質的公害問題等，都會影響工業的設廠。整體而言，台灣地區的各項自然條件頗利於工業發展，除了夏季偶因颱風帶來嚴重災害外，四季宜人的氣候適合各種作業，西部平坦地形也利於廠房的興建與擴廠。但因工業高度發展也導致環境品質的破壞，亦即工業污染問題，其中尤以水泥、煉油及重化工業等污染最嚴重，此即都市化不經濟，在第六章將詳做討論。所幸政府已針對污染源展開全面防治工作，我們樂見環境品質能逐步獲得改善。

　　綜合上述，台灣在區位理論分析上所強調的幾項重要區位因素：包括交通、原料、勞力、聚集經濟及自然環境方面等均稱適當。至於其他因素，諸如市場，台灣也因優越的運輸體系，使工業成品能順暢通達區域性、全國性，甚至國際性市場，另外水及動力燃料供應，本省也擁有基礎條件。最後不能忽視的一個重要發展條件，應是我國經濟計劃和工業發展策略的適切導引，才使得各地區充分發揮成長潛力，進而帶動台灣工業成長與經濟起飛。

2-2　工業發展過程的階段性劃分及其運作機制

　　若從時間系列看台灣經濟發展歷程，共經歷了最早的原始經濟（西元1624年以前）；接著是荷據時期的掠奪經濟（1624－1662）；而後是明鄭時代的藩鎮經濟（1662－1683）；然後是一段漫長而沉寂的清領時期之近世封建經濟（1683－1895）；清領之後便進入日人控制的近代殖民經濟（1895－1945）；最後便是

戰後這段令世人刮目相看的工農並重經濟時期⓫（1945－1986）。本章目的在於透過對相關文獻的檢視，進一步探討經濟發展過程中工業所呈現的變貌和特徵，並進行階段性劃分，基本上將上述六個時期概分爲三大階段，依各階段的發展沿革與實況再細分爲若干時期，據以掌握各階段工業發展的運作機制。

(一)原始經濟及清代重商主義與商業資本控制下的糖茶加工業（1349－1895）

　　台灣的原始經濟是指西元1624年（明天啓四年）以前，即荷蘭未入據以前的幼稚生產形態而言，彼時先住民生活簡單，採行氏族式社會組織，故此期被稱爲氏族共同經濟時代⓬。嚴格地說，此時生產以共同狩獵、農耕和漁撈爲主，幾無工業可言。惟考諸史實，台灣之工業似應遠溯自西元1349年（元至正九年），汪大淵之「島夷志略」敘述台灣蕃人「煮海水爲鹽，釀蔗爲酒」可資爲證⓭。顯示此時工業僅限於鹽酒之簡單加工。到十七世紀初葉（1624）荷人入據台灣，其殖民政策是以實行重商主義（Merchantilism）爲手段；而以掠奪經濟，藉貿易來搜括財富爲依歸⓮。因而其政策機制主爲發展商業並獎勵糖業增產與土地開拓，當時砂糖製品已銷售至荷蘭、波斯（伊朗）及日本等地，年輸出量達四千噸，植蔗面積幾達稻田面積的1／3，此亦爲台灣蔗糖外銷之濫觴。

　　1662年鄭成功復台後，銳意圖強，勵行屯墾，也積極提倡植蔗製糖，並由福建輸入蔗種。歷十年統制，產量增加四倍達一萬五千公噸⓯。其後滿清初入台灣的一百年間，因禁止對外貿易，致糖業一度衰落。1833年以後英美商業資本勢力東漸，砂糖貿易益形發達。1860年以後安平、打狗相繼開埠，加以澳洲與美國市場之開拓，糖業乃大爲發展，曾有年達六萬噸之高產紀錄。一直到1884年中法戰爭發生，安平、打狗港被法艦封鎖，糖價暴跌，糖業頓挫。整體而言，此期之糖業資本均受制於外商資本下的洋行（指外國商館），特別是英商手中⓰，他們既向業者放款，更包購糖產，可以說控制整個砂糖貿易⓱。

　　除糖業外，彼時茶葉加工和樟腦業亦值一提，基本上，台茶市場也是在開港後由外商開拓的⓲，例如台茶產量原本很少，寶順洋行職員杜德（J. Dodd）發現台灣宜於種茶後，即引入茶苗，爲改善粗製方法，並由福州、廈門引入茶師烘

茶，乃一改過去台茶先輸往大陸加工再外銷的過程，市場也漸擴及美國。後來茶價漸漲，華商乃不斷跟進。到1895年華商所設茶行已達一百餘家，洋行則有6家⓳，雖然華商漸多，但資本仍以洋行居大多數。一般言，清代早期台灣糖茶製品是藉由糖與茶葉行郊等職業公會組織，然後再運往大陸，因之糖茶及樟腦產銷完全受制於外商資本，這些行郊主要分布在淡水、大稻埕、鹿港及安平等地。

除了外商控制的糖茶加工業外，劉銘傳也爲台灣的交通和工業建設奠下初步基礎，他除了樹立南北縱貫鐵路計劃（1887年），增設港口通訊設施並完成基隆、台北、新竹間鐵路（1893年）外，並曾在大稻埕設金屬機械工廠（1885年），其機械設備悉自國外輸入且均爲新式機器，規模頗大，此爲台灣近代工業之嚆矢⓴。因此劉氏此期在鐵路、港口通訊、工業和教育等方面的建設投入，確爲後來台灣工業能够逐漸邁向現代化，提供若干重要基礎㉑。

綜言之，台灣地區的經濟體系自明末清初建立以來，由於係初開發地區，位置上也屬邊陲地帶，故其糖茶加工產業即十足表現與中國大陸及日、美等國貿易依賴之特色。到1860年中英天津條約後，台灣對外開港，英國洋行商業資本進入台灣，隨著對外貿易額的擴大，行郊地位漸衰，有些更淪爲洋行的買辦，或僅從事台灣與大陸或島內的地方性交易。台灣糖茶生產就在這樣的背景下漸由英國商業資本所支配，甚至早期近代工業設備也悉賴進口，工業發展的依賴性格至爲明顯，只有劉銘傳主台七年間（1884－1890）頗具前瞻性地推動若干工業與交通建設計劃。

㈡日據時期日本産業資本與殖民主義經濟下的工業發展（1895－1945）

日據之初並無一套週詳的政策開發台灣，因當時日本資本家缺乏投資興趣，加上殖民前途未卜，不少官員甚至主張將台灣出售。這種不確定因素使殖民政府只好先求財政獨立，欲使財政獨立，唯有加速開發農業資源一途，以促使經濟資本主義化㉒。因而如何創造並累積資本便成爲日據初期的重要課題，換言之，日本爲達到台灣資本主義化的目的，乃推行數項重要基礎事業。包括先建立嚴密警察制度，使社會安定，提高日本資本家來台投資意願，也促使民間積蓄漸移作經

營產業的資本，這無形中加速資本的累積與產業經營的商業化；其次是設銀行並統一幣制與度量衡，這也加快企業經營的資本化，並促進島內外，特別是日本與台灣間貨物的流通。

1898到1904年完成的土地調查工作也是台灣資本主義化的基礎工程㉓。其結果不但使耕地增加，並提高財政收入，也因土地權利關係的確定，使土地交易獲得安全保障。這種經濟上的利益更使日本資本家可安心來台從事投資並建立企業。其後是長達15年的林野調查（1910－25），旨在爲土地大規模移轉給日本資本家尋求法律及經濟基礎，以達成掠奪台灣土地與資源的目的㉔。最關重要的是交通建設，這是工業發展的基礎，因此日據以後，日本即不惜投入巨資，大興土木，加強港口與鐵公路規劃與擴建。這些基礎工程不但加速日本對台灣土地和農業資源的掠奪，同時也提高都市化和工業化水準㉕，而市鎮漸成人口輻輳中心，工業在產業中的地位更加提升。

此外驅逐外資也是重要工作，以糖業爲例，自1900年日本創立台灣製糖會社（設在高雄橋頭，資本額100萬日圓，屬三井系），這是台灣產業資本的開端㉖，到1920年又陸續設立12家製糖會社，此時日本三井、三菱、藤山和松山系資本合占台灣糖業公司資本的94％，顯見日本產業資本在台灣獨占的程度，因此戰前的台灣工業，實際上完全被日本帝國主義經濟體系中的大財閥所壟斷。

再以日據時代的整個台灣經濟結構來看，在1907年以前，總生產額中農業佔八成以上，工業不及二成。一直到九一八事變前（1931），除一次大戰期間外幾未超過40％。而工業總產值中食品工業占絕對的比例，在1920年以前均高占80％以上，1931年仍占達76.8％（表2-1）。食品中製糖業爲其大宗（1935年占61％），其他與食品之關連工業也不少，如酒精、製糖用機械、洋鐵罐（占7％）。中日戰爭後，工業生產逐漸增加，而於1939年首度超過農業生產額㉗，在工業結構上也有了變化，即化學、機械、金屬比例明顯增加。此乃因戰爭的需要把台灣變成軍事基地所致，但食品業仍占54.3％。回顧這段過程也可清楚看出：在「工業日本、農業台灣」的策略導引下，台灣工業生產多屬農產加工（如

砂糖、鳳梨、樟腦及茶葉）。日本資本家對殖民地的侵略方式，係以政治力量爲後盾，操縱壟斷以獲取暴利，因而此時的台灣工業只是日本「供給原料，傾銷產品」的場所。1935年殖民政府具體擬出工業發展藍圖❷，開始有計劃性發展工業，除農產加工業外，食品、紡織，金屬及化學等工業逐漸建立。

表2-1　日據時期各種工業生產之組成 %（1914－1942）

單位：%

年別	工業總產值（千日圓）	食品	化學	窯業	機械	金屬	紡織	其他
1914	52,638	86.3	3.5	2.8	0.8	0.6	0.5	5.6
1920	214,008	81.1	6.1	3.8	2.2	0.7	1.7	4.3
1925	193,799	73.4	9.8	3.4	2.0	1.7	2.2	7.5
1931	192,567	76.8	6.3	3.5	2.7	1.9	1.1	7.8
1935	192,494	75.4	9.5	3.3	2.5	1.9	1.3	6.1
1942	700,072	54.3	13.8	3.5	4.6	6.9	1.7	8.4

資料來源：總督府殖產局台灣商工統計第15、18、19次及昭和3年版。

註：本表中累加百分比部分未達100係因該年代專賣品工業產值未予計入。

此後工廠數和工業規模逐漸擴充，而且已能修造機器農具等，但新式機械及精密機器仍悉賴日本輸入。到1937年日本軍閥發動侵華戰爭後，爲求台灣經濟的自給自足，乃更積極推行工業化，財政上也儘量配合。最顯著的無非是彼時台灣總督小林躋造所提倡之「皇民化工業化與南方政策」三大目標❷，配合生產力擴充計劃與南侵政策，積極獎勵發展軍需工業擴充設備，增設工廠。另方面也在電力設備、工業技術人才培育、港灣開闢、鐵道與公路之擴充與改善等公共設施（Infrastructure）的加強上積極配合，以使工業發展條件更臻完備。爲進一步掌握彼時工業發展之實況，乃依早期資料整理出表2-2，由表可知當時的台北市和高雄市，其工業發展已頗具規模，台北尤有過之，其工廠數與生產值均遠非高雄可比。台北的食品工業產值高占60%以上，化學、機械也合占16.4%，高雄則以化學、機械及水泥加工業爲最重要，若加上食品，則此四業產值亦達80%以

上。由表也顯示日據後期重化工業已具基礎，顯然是爲了應付戰爭的需要，畢竟日帝自始即認定台灣的工業化是南進政策的必要條件㉚。

表2-2　日據時期台北市與高雄市各業別工廠數與生產值之比較

項目 業別 / 區域	工 廠 數		%		生產值（日圓）		%		主要工業產品
	台北市	高雄市	台北市	高雄市	台北市	高雄市	台北市	高雄市	台北市與高雄市
食品工業	432	201	26.6	36.3	22,192,615	3,110,659	60.5	18.3	砂糖、鳳梨罐頭、蜜餞等
化學工業	114	12	7.0	2.2	4,512,415	4,280,452	12.3	25.2	酒精、肥料、油漆等
機械金屬	121	112	7.4	20.3	1,524,442	4,236,207	4.1	24.9	船舶、自動車、鐵工廠等
纖維工業	43	8	2.6	1.4	1,016,900	7,289	2.8	0.1	纖維、染色等
雜項工業	919	220	56.4	39.8	7,445,736	5,355,854	20.3	31.5	水泥、水泥加工、石灰等
合　　計	1,629	553	100	100	36,692,108	16,990,461	100	100	

資料來源：台北市資料取自本章註⑪，第275頁；高雄市資料取自本文第一章註⑪中拙著，第518頁。
　　　　　雜項工業中，高雄市的水泥工業占25％，生產值達4,236,748日圓，其餘爲其他民生工業。
　　　註：資料時間台北市爲1937年，高雄市爲1934年。

　　綜如上述，日本殖民政府透過嚴密警察制度爲資本家提供安全投資環境；土地改革和幣制統一也使企業勃興、貨暢其流；而交通建設積極投入更加強空間的整合，這些基礎工程使台灣經濟邁向資本主義化。工業化的努力也自1931年起順利的逐步付諸實施。初期以瓦斯、酒精、肥料工業爲主；1935年以後引進煉鋁、化肥工業；1937年起更在政治野心的導引下逐漸發展重化工業，同時並相應進行許多配合工作，包括大規模水力及火力發電廠、通信、鐵路及港灣等基本建設。而這些基本建設也爲台灣的工業化帶來重要的社會投資，包括工業生產力的提升、勞力素質及工業技術的提高、交通通信的便捷和電力供應的不虞匱乏等。無可否認地，這些重要的社會投資與間接成本投入確爲戰後台灣工業化建立不可或缺的重要基礎㉛。

㈢戰後國家資本主義經濟與迅速工業化下的工業發展（1945－1986）

　　日本戰敗後，台灣重歸祖國懷抱，但受戰爭與政局不穩影響，以致於曾經推動生產力達到高水準的制度性結構受損嚴重㉜，日據時期所建立的工業75％被破

壞，工業生產幾瀕停止狀態❸。1949年遷台後台灣成爲一個獨立的經濟個體，過去原爲日人經營的大規模工廠，幾乎全面被國有化，台灣變成由龐大公營企業所支配的國家資本主義經濟❹。政府有感於農業部門的重要性，乃積極促進農業增產，以支應其他部門的成長所需。若以成長觀點看台灣經濟發展過程，一般通常以1952年爲起點，此時土地改革與幣制改革大致完成，舊有的地主制逐漸解組，農業發揮培養工業的功效。經由土地改革使土地資本轉化爲產業資本，而且由農業部門挹注到工業部門的資本相當可觀，此一成果使當時相當嚴重的惡性通貨膨脹獲得有效控制，經濟漸趨穩定。而農業生產也恢復戰前的高水準，加上當年退守台灣時由大陸帶進不少產業資本、人才和技術，例如以上海爲中心的紡織資本與技術移入台灣，正是後來紡織業發展的主因，這也是其他開發中國家所没有的特殊原因，也直接促進了工業化。不久美援開始，1953年更公布第一期經建四年計劃，工業化政策更爲落實而具體。綜觀戰後工業發展，政府爲因應各時期國內外政、經及社會變遷，設計各種合宜的發展策略，這些策略機制之所以能夠順利而成功的發揮其功能，無疑的更是得利於各個時期，各項經濟條件均能密切配合，透過這些條件漸趨成熟並因勢利導，才獲致可觀的成就，否則空有政策也是枉然。換句話説，戰後台灣工業得以順利而且全面性的擴展，固與政策機制的有效運作有關，然而更重要的關鍵，尤在於各個時期均能夠密切配合整體社會經濟及國際情勢和內外環境的適宜性，而提出合宜的具體策略所致。除了1945－49年著重戰後的復建工作，且一般統計資料較缺乏外，以下擬參考劉進慶的研究❺，將戰後工業化過程分四時期，並分別概述四個時期之工業發展特徵：

1.工業發展的摸索調整期（1953－1963）：

韓戰的發生，使全球的地緣政治關係產生結構性調整。在美國太平洋防共圍堵策略下，每年提供一億美金（相當於當時國內GNP的5％～10％）的美援協助，成爲支持農工成長的基礎，結果全期平均成長率達7.7％。農業上以稻作和砂糖爲重點，此時因耕地擴大已不可能，乃藉由肥料及勞力密集的投入以增加生產，結果當時本省雖逢幾次嚴重天災，但仍達4.4％的年成長率，故此時農業的

發展對經濟成長的貢獻至關重要，其地位不遜於美援❸。爲滿足國內市場需要，故早期創設以進口貨替代的工業發展形態，其主導部門正是紡織、食品、水泥和肥料等四項工業，1950年代迅速興起的紡織業可爲代表。基本上它是結合了美援棉花、輸入機械、江浙地區流入的資金、管理技術，以及優惠的政策保護和台灣農村大量女性勞工等有利條件而急速成長的。到50年代中期，紡織品不但國內自給有餘尚可輸出，到1960年紡織品生產額已超過砂糖生產額❸。而屬資源型的食品和水泥工業因其原料和市場均以國內爲基礎，隨著人口的增加其需求也大幅成長，故發展順利。至於肥料工業，因係配合農業發展的重要策略工業，而在美援的資金和原料供給下，也達成擴大與發展的目標。此外美援資金投入最多的部門是電力，電力能源的開發是工業發展的根本，而此一時期的電力發展可説爲1960年代的外資引進和後續的工業迅速成長奠定深厚的基礎。

很明顯地，此時的工業生產以滿足國內市場爲主，亦即典型的進口替代發展。但由於國內市場狹小，1958年起即面臨生產過剩造成不景氣，而使政策轉向具有國際競爭力的加工貿易型工業，亦即出口擴張工業。於是積極改革貿易和外匯制度，實施單一匯率和19點財經改革方案，1959－60年政府更提出外貿引進政策，並實施對內外資本的投資獎勵和技術合作立法等，逐漸走向開放經濟的制度方向。

2.工業的高度成長期（1964－1973）：

從第三期經建計劃開始，政府鑑於美援即將停止，乃積極改善投資環境，擴大工業生產，故此期主要是採取「以貿易爲主導並促進成長」的開發策略，而衡量當時經濟條件並透過比較利益分析，出口擴張工業確爲彼時之最佳抉擇❸。於是積極引進僑外資金與技術，以加速推行加工業，結果全期出口成長達29.7％，也帶動工業達19.4％之巨幅成長，GNP 成長率亦達11.1％（表2-3），其中國際資本的引進和低廉而密集的勞力僱用也是爲台灣經濟帶來轉機的重要條件❸。此時因適逢新國際分工萌芽之際，我國也在1965年設立高雄加工出口區，積極吸引美、日及華僑資本。在勞力供應上，此時台灣農村仍是一個勞動過剩經濟，農村

地區累積大量過剩人口⑩，隨著外資引進，急速被吸收到勞力密集的加工出口產業上。僑外資以投資電子、紡織、食品及化學等業爲主，尤以前兩項爲代表。顯然產業結構已轉換爲以工業爲中心，在此轉變過程中扮演主要角色者厥爲外資、工業化和出口，於是經濟資本累積與工業生產，乃更緊密地與國際經濟相結合⑪。這些外資多屬多國企業的加工廠或具衛星工廠性質，一般精密零組件都由核心工廠輸入，加工後再貼上原商標，然後行銷世界各地，也使台灣納入國際加工體系。

表2-3　戰後工業發展的分期和各期工業成長的主要指標（1953－1986）

單位：%

工業發展分期	'53～'63（Ⅰ）	'64～'73（Ⅱ）	'74～'79（Ⅲ）	'80～'86（Ⅳ）
各期名稱	摸索調整期	高度成長期	不安定成長期	低成長期
對內或對外主導	對內循環主導型	對	外 循 環 主	導 型
進口或出口	進口補助型	出	口 導	向 型
一般分類	第 1 次 進	口 代 替 期	第 2 次 進 口	代 替 期
GNP年平均成長率	7.7	11.1	8.4	7.3
農業生產平均成長率	4.4	4.4	3.0	−1.6
工業生產平均成長率	11.6	19.4	12.4	8.1
出口貿易平均成長率	24.6	29.7	23.9	14.9
GNP中進出口額所占之年平均比率	27.3	56.1	91.6	102.2
GDP中國民儲蓄額所占之年平均比率	11.0	25.0	32.3	33.1

資料來源：1.劉進慶著，張正修譯，「戰後台灣經濟的發展過程」，台灣風物，34（4）：31（1984）。
　　　　　2.中華民國國民所得，表一、表九、表十一，行政院主計處編印，1987年，pp.12－22。
　　　　　3.Taiwan Statistical Data Book, Council for Economic Planning and Development, R.O.C. 1988, p.2、p.68、p.85.

　　整體來看，此一時期輕工業發展極爲迅速，尤以電子、紡織、合板、塑膠等業最盛，而一些屬於較高技術及較多資金的重化工業如人纖、塑料、鋼鐵、機械、汽車及造船等也有相當進展，顯示工業漸趨多元化，同時也已面臨轉型階段⑫。

　　3.工業發展的不安定成長期（1974～1979）：

　　前期工業的快速成長至1973年發生了重大變化，首先是兩次國際能源危機的

衝擊，其次是世界經濟「停滯膨服」（Stagflation）的影響，再加上政治、外交上的挫折，以及勞力密集產業面臨新興開發中國家競爭，又受先進國的保護主義或受限，而且台灣工業結構本身也面臨轉型期的瓶頸，這些都是工業發展必須另謀出路的重要背景❸。由表2-3顯示此期工業生產和出口貿易平均成長率均見下降，因此政府的發展目標著重在石油能源問題的克服和重化工業的紮根，同時推動經費高達二千億元的十大建設。由此可知，政府的角色愈來愈重要。因爲從本質上來看，前期（1960年代）的高度工業成長基本上是由民間主導的，而七十年代的邁向重化學工業化却是由政府主導的，由十大建設中的中鋼和中船，先是採民間經營，繼而由官民合資，後因民間出資不振，乃不得不轉爲公營，顯然台灣經濟又有回復到國家資本主義之傾向。

整體而言，此一時期雖然在上述諸多負面影響因素的衝擊下，但因政府在經濟和金融政策應變得當，故在1975年，通貨膨服即沈靜下來，景氣也從是年起恢復成長，工業平均成長仍達兩位數，只是此期扮演成長主要角色的，依舊是紡織、電子等勞力密集型加工業。

4.工業低度成長期（1980－1986）：

台灣這種對外主導型的工業結構，貿易依存度太高，對國際經濟景氣的反應相當敏感，再加上主導產業仍爲附加價值低的勞力型加工業，因工資持續升高，勞動生產力相對低下，故對外競爭力也相對下降。這些現象充分反映台灣工業體質的弱點，而新興貿易出口國的競爭和國際保護主義更是方興未艾，整個世界經濟體系也已面臨區域性的重新組合❹。同時也面對全球經濟與資本再結構的變動❺。這些外在因素的影響使台灣的工業不得不邁向高附加價值的資本、技術以及知識密集之途，從1980年代起即積極推動機械及電子資訊等策略性工業，期能產業升級。只是佔絕大多數的中小企業之輔導發展、工業技術的移轉和技能勞力的培養，以及面對新國際分工體系下的工業結構如何超越提升等，仍將是未來必須嚴陣以待的重大課題。

註釋：

❶這方面的討論參閱王作榮，台灣經濟發展論文選集，台北：時報出版公司，1981，第4－5頁。或參閱林景源，台灣工業化之研究，第7－18頁，台灣研究叢刊第117種，台北：台銀經濟研究室，1981第7－8頁。

❷林鐘雄，「台灣經濟發展40年」，台灣經驗40年系列叢書，台北：自立晚報，1988，第40頁。

❸葉萬安等，台灣經濟發展之研究，台灣研究叢刊第102種，台北：台銀經濟研究室，1970，第1－111頁。

❹參閱第一章註⑭，pp.17－36，或參閱M.G. Bradford and W.A. Kent, ″Human Geography″, Theories and Their Applications, Oxford University Press, pp.42－57，1977.

❺D.M. Smith, ″Industrial Location″, New York:John Wiley & Sons, 1971,pp.125－137.

❻同上註，pp.148－155.

❼P.E. Lloyd & P. Dicken, ″Location in Space, ″A Theoretical Approach to Economic Geography, Second Edition, pp.206－213, Harper & Row, Publishers, 1977.

❽黃富三，女工與台灣工業化，台北：牧童出版社，1977，第217頁。

❾劉錚錚，「聚集之經濟」，大陸雜誌，45（3）：147（1972）。

❿同第一章註㊴，pp.73－76。

⓫這方面的詳細討論，有關日據以前的工業可參閱周憲文，台灣經濟史，台北：台灣開明書店，1980，第49－584頁；日據以後的分期則可參閱劉鴻喜，「台灣經濟開發的分期」，師大教學與研究，6：115－124（1984）。另外1931－1945年間台灣工業發展的深入討論可參閱張宗漢，光復前台灣之工業化，台北：聯經出版公司，1980，第59－152頁。

⓬東嘉生著，周憲文譯，台灣經濟史概說，台北：帕米爾書店，1985，第3－13頁。

⓭台灣省通志稿卷四，經濟志工業篇，台灣省文獻委員會，1954，第127－130頁。

⓮同本章註⓫，周憲文著，第119－144頁。

⑮拙著，「台灣甘蔗生產與糖業發展的變遷分析」，台銀季刊，40（2）：220（1989）。

⑯嚴勝雄，「台灣北部之工業發展及其結構變遷之研究」，台銀季刊，24（3）：270（1973）
。

⑰矢內原忠雄著，周憲文譯，日本帝國主義下之台灣，台北：帕米爾書店，1987，第32頁。

⑱林滿紅，茶、糖、樟腦業與晚清台灣，台灣研究叢刊第115種，台北：台灣銀行經濟研究室，
1978，第51頁。

⑲這六家洋行分別是德記、和記、寶順、永陸、嘉士和怡和洋行，同上註。

⑳嚴勝雄、吳惠然，「台北市之產業發展」，台北市都市發展規劃與經營管理研討會〞都市發
展〞，1981，第1頁。

㉑馬若孟著，陳其南、陳秋坤編譯，台灣農村社會經濟發展，台北：牧童出版社，1979，第125
－129頁。

㉒施添福，台灣人口移動和雙元性服務部門，地理研究叢書第1號，台北：台灣師範大學地理系
，1982，第87頁。

㉓參閱本章註⑰，第18頁。

㉔同上註。

㉕參閱黃世孟，1930年代國際區域計畫與台灣港市計畫之分析，台灣大學都市計畫研究所，
1989，第1－24頁；或參閱本章註㉒，第86－96頁。

㉖同本章註⑯。

㉗同上註，第271頁。

㉘同本章註㉑，第187頁。

㉙同本章註⑪中張宗漢著，第61頁。

㉚同上註，第117頁。

㉛同本章註⑯，第270－277頁。或參閱林景源，台灣工業化之研究，台灣研究叢刊第117種，台
北：台銀經濟研究室，1981，第7－13頁。

㉜丁庭宇、馬康莊主編，台灣社會變遷的經驗——一個新興的工業社會，台北：巨流圖書公司，
1986，第60頁。例如電力方面，發電設備幾乎破壞殆盡，交通方面，鐵路、橋樑損毀嚴重，

其他產業也遭嚴重破壞，參閱中國工程師學會，<u>台灣工業復興史</u>，台北：中國工程師學會，1
958，第1-20頁。

㉝同本章註⑯，第277頁。

㉞劉進慶著，張正修譯，「戰後台灣經濟的發展過程」，<u>台灣風物</u>，34（4）：32（1984）。

㉟同上註，第27-62頁。

㊱同上註，第34-35頁。當時農產品出口每年所獲外匯收入約爲一億美元（美援每年也相當此
數），這筆外匯後來大部分使用於進口工業部門所需的資本財，此爲支持當時工業發展的重
要助力。

㊲同本章註⑯，第272頁。

㊳翁嘉禧，<u>台灣工業發展計畫的評估</u>，中山大學中山學術研究所碩士論文，1984，第54頁。

㊴同本章註㉞，第36頁。或參閱Walter Galenson，〝Economic Growth and Structural
Change in Taiwan—The Postwar Experience of the Republic of China〞，台北：雙葉
書廊，1981，PP.221-250。

㊵根據估計當時過剩人口（或稱隱藏性失業人口）達一百萬之衆，參閱本章註㉞，第36-37
頁；或劉阿榮，「台灣工業發展之過去與未來」，<u>台灣經濟發展的經驗與模式，台灣光復40
年專輯</u>，台中：台灣省政府新聞處，1985，第170-171頁。

㊶同本章註㉞，第37頁。

㊷行政院經建會經濟研究處，<u>中華民國台灣地區經濟現代化的歷程</u>，1981，第30-34頁。

㊸同本章註㊵劉阿榮著，第178頁。

㊹磯村尚德，<u>世界の中の日本——アジアからの挑戰</u>。NHK特集，緊急リポート，日本放送出
版協會，1988，pp.110-112。

㊺夏鑄九，「全球經濟再結構過程中的台灣區域空間結構變遷」，1989年民間國建會，<u>台灣空
間發展的挑戰組</u>，台北：國家政策研究資料中心，1989，第4-1～4-23頁；或參閱孫義崇，
<u>台灣地區區域空間結構與國家之區域政策——一個初步的社會學分析</u>，台大土木工程學研究所
碩士論文，1987，第18頁。

第三章 工業發展過程中的結構性
轉變和工業地位

3-1 農工產業部門移轉的過程

　　一般而言，經濟發展過程就是產業結構改變的過程，由表3-1清楚可見，三十餘年來國內三級產業生產結構，出現極大的變化，其中尤以農、工部門爲然。農業地位的江河日下，更突顯工業地位的相對提高。以國內生產淨額（Net Domestic Product，NDP）來看，農業比重由民國42年的38.3％遞降爲75年的6.5％，共下降了31.8百分點。工業部門的同期比率則由17.7％遞增爲47.1％，共增加29.4百分點。若單以工業部門中的製造業來看，則此一比率從11.3％迅速遞增爲39.0％（表3-1）。服務部門則一直維持在45％左右。此一農、工兩部門產業移轉過程一般稱爲工業化，隨著工業地位昇高，服務部門也一直穩定發展，二者不相上下，此即後工業時期。若再以全國勞動力在農、工及服務部門的比重來看，目前三者的比重依序是23.4％、33.9％及42.7％ ❶。依據Daniel Bell所謂「若服務業勞動力占全國40-60％時可稱之爲後工業文明」❷，顯然台灣確已逐漸邁向「工業化—後工業化」的產業部門移轉過程。

　　若進一步再以圖3-1的三項指標來看，也可發現，台灣地區自第一次四年經建計劃執行以來，工業化進展速度相當迅速，其中工業產品輸出總值占輸出總額的％，除了1963年（52年），政策性地爲便利出口，將新台幣貶值，致出口％下挫外，此一比率幾呈一路攀升的現象。而另兩項指標，工業生產額占GDP總值％和工業就業人口占總就業人口％，則也均呈穩定成長的趨勢，凡此均足以證明台

表3-1　台灣地區三級產業生產結構的變化（占NDP之比例）（1953－1986）

單位：%

年　度	總　計	農業部門	工　業　部　門					服　務　部　門			
			小　計	礦　業	製造業	公共事業	營造業	小　計	交通運輸業	商業	其他
42	100	38.3	17.7	1.7	11.3	0.7	4.0	44.0	3.4	18.5	22.1
45	100	31.6	22.4	2.2	14.5	0.8	4.9	46.0	3.9	17.1	25.0
50	100	31.4	25.0	2.1	17.0	1.5	4.4	43.6	4.8	15.4	23.4
55	100	26.2	28.8	2.0	20.3	1.8	4.7	45.0	5.4	15.2	24.4
60	100	14.9	36.9	1.4	28.9	2.1	4.5	48.2	6.1	16.4	25.7
65	100	13.4	42.7	1.4	32.5	2.1	6.7	43.9	5.8	13.8	24.3
70	100	8.7	45.2	1.0	33.2	3.5	7.5	46.1	5.9	14.8	25.4
75	100	6.5	47.1	0.6	39.0	2.9	4.6	46.4	5.4	15.4	25.6

資料來源：Taiwan Statistical Data Book, Council for Economic Planning and Development, R.O.C. 1988, p.41.

灣工業化的進展既穩定而且快速。

　　而在這三十多年產業部門移轉的過程中，尤以工業部門的發展最爲迅速，也是整個經濟活動中最具動態化的部門❸。本文計算民國42年（1953）至75年（1986）間，工業部門平均每年成長率達13.9％❹。如果分成民國五十年代以前、五十年代和石油危機以後三個時期來觀察，在42到51年（前三期四年經建計劃期間）平均每年成長率爲12.5％；而52年至61年高達19.8％；62年至75年爲10.2％。整體來看，全期僅於63年（1974）受全球性的停滯膨脹影響而呈負數（－6.3％）外，餘均爲正值。而且在54年（1965）美援停止後，工業年平均成長率未降反升，顯示台灣工業發展並未受到美援中斷的影響。推究其因，以當時國內工業產品高度依賴美國市場的情況看來，似乎是導因於美國市場的需求量持續擴大有以致之。只是在67年（1978）以後成長率有趨緩現象，至74年稍挫爲1.2％，但最近三年已回升至安定成長現象，年平均成長率在16.1％～13.1％之間。此似乎亦與台幣的大幅升值、政策因素以及美國市場的需求和來自美方的貿易壓力等有密切關係。

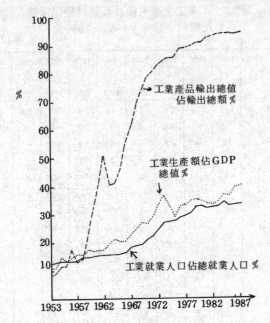

圖3-1　台灣地區工業化的進展過程（1953－1986）

資料來源：Taiwan Statistical Data Book, Counil for Economic Planning
and Development, R.O.C. 1988, p.16、p41、p.213.

3-2　工業發展過程中的結構性轉變

　　分析工業結構變動最常用的指標爲工業生產結構變化係數❺，表3-2是按聯
合國分類將工業分爲輕工業和重化工業兩大類。所謂結構變化係數就是輕、重工
業二者產值百分點變動的絕對數之和，可用以測定工業結構變動的大小。由表可
知，在各期經建計劃期間，輕工業佔工業生產毛額的比率均見減少，其中四十年
代（1953－1960）減少10.9％，民國五十年代到64年（1961－1975）又續減
14.6％，若以全期來看（1953－1986），則輕工業比率減少了33.5％。相對地，
重化工業則各期均呈增加趨勢，各期增加的比率正好是輕工業減少的百分點。若
再以各別產業來看，在四十年代，輕工業中比重降低最大的是紡織（－7.7％）

表3-2　工業之生産毛額及其結構變化係數
（民國42－75年，1953－1986）

單位：百分點變動

時期＼業別	1953|1956	1957|1960	1961|1964	1965|1968	1969|1972	1973|1976	1977|1982	1983|1986	1953|1960	1961|1975	1953|1986
工業生產結構變化係數	10.0	13.2	6.6	16.8	3.6	3.4	9.6	8.2	21.8	29.2	67.0
輕工業百分點變動	−5.0	−6.6	3.3	−8.4	−1.8	1.7	−4.8	−4.1	−10.9	−14.6	−33.5
食　　品	7.0	−5.7	3.6	−5.4	−7.9	4.9	−2.5	−1	4.6	−17.0	−18.3
飲　　料	0.1	0.2	−0.1	0	0	0.2		−0.1	0.1	−0.1	0
菸　　草	−5.7	−1.4	0	0.7	−1.6	−1.7	−0.7	0	−6.2	−2.4	−8.0
紡　　織	−5.6	−0.9	1	−3.2	1.7	−1.8	−1.2	0.2	−7.7	0.2	−11.1
服　　飾	−0.1	0.7	1.8	−0.7	3.2	−0.5	2.6	−2.3	0.3	1.9	2.9
木　　材	−0.1	0.3	−0.6	−0.3	0.4	−2.7	−0.7	−0.4	−0.8	−1.4	−3.8
家　　具	0.1	−0.2	−0.4	0.1	−0.3	−0.1	0.4	−0.1	0	−0.3	−0.1
印刷出版	0.2	0.7	−1.5	−0.6	0	0.4	−0.1	−0.1	0.7	−2.0	−1.9
皮　　革	0	0.1	−0.1	0.1	0	0.3	0.5	0	−0.1	0.9	1.7
橡　　膠	−0.1	0.1	−0.3	0.1	0.5	0	0.3	0.1	−0.2	0.1	0.2
雜項製品	−0.8	−0.5	−0.1	0.8	1.4	3.5	−3.4	−0.4	−1.6	5.5	4.9
重化工業百分點變動	5.0	6.6	−3.3	8.4		−1.7	4.8	4.1	10.9	14.6	33.5
造　　紙	1.2	0	−0.5	−0.3	−0.4	0	0.3	−0.2	0.6	−1.1	−1.2
化　　學	−2.3	−0.2	2.5	1.2	−0.1	−1.1	1.7	1.3	−3.2	5.1	4.4
油　　煤	0.2	0.7	−1.4	2.4	−0.8	0.3	1.8	1.5	1.2	−1.4	3.3
非金屬	2.2	2.1	−1.6	−1.4	−1.4	1.9	−1.2	−0.9	3.9	−2.8	−1.1
基本金屬	1.8	0.8	−2.2	−0.8	2.5	−1.9	2.2	−0.6	3.3	−0.3	5.1
金　　屬	0.2	1.1	−0.5	−0.3	−0.1	0.4	0.9	−0.4	1.1	0.1	1.8
機　　械	−0.6	0.5	−0.3	−0.4	0.8	1.0	−0.6	0.3	0.5	1.1	2.2
電機電子	1.3	0.2	1.2	5.7	1.8	−2.9	−0.5	3.6	1.1	9.6	14.5
運　　輸	1.0	1.4	−0.5	2.3	−0.5	0.6		−0.5	2.4	4.3	4.5

資料來源：由表3-8計算而得。

註：(1)1953－56爲第一期經建四年計劃期間，1957－60爲第二期，1961－1964爲第三期，1965－68爲第四期，1969－72爲第五期，1973－76爲第六期；1977－82爲第一期六年經建計畫期間，1983－86爲第二期六年經建計畫前四年。

　　(2)工業生產結構變化係數是計算輕工業與重化工業百分點變動二者之和（取絕對值）。

和菸草（－6.2％）；而重工業中比重提高較大的是非金屬（3.9％）、基本金屬（3.3％）和運輸工具（2.4％）；再以50年至64年而言，輕工業中比重降低最大的是食品業（－17.0％），雜項業則增加（5.5％）；重化工業中比重上升較明顯的有電機電子業（9.6％）、化學業（5.1％）及運輸工具業（4.3％）；而比重下降的則有非金屬、油煤及造紙等業，但下降幅度有限；最後以全期來看（1953－1986），輕工業中比重降低最鉅者依序是食品（－18.3％）、紡織（－11.1％）、菸草（－8.0％）及木材製品（－3.8％）；而重工業中比重上升最顯著者分別是電機電子（14.5％）、基本金屬（5.1％）、運輸（4.5％）及化學（4.4％）等業。

歸納上述的結果可知，台灣地區的的工業結構已從早期生產食品、紡織及木材製品，轉向以生產電機電子、基本金屬、運輸工具和化學製品爲主。此一事實也充分說明三十餘年來的台灣工業化過程，其最大特徵就是重化工業已然逐漸取代輕工業之地位，而成爲主導部門（Leading sector）。此一現象也可從工業生產結構變化係數從四十年代（1953－1960）的21.8％，升高爲50到64年間（1961－1975）的29.2％，再升高到全期間（1953－1986）的變化係數高達67.0％而得到進一步的證實。

上述的結果，若再依錢納利（Chenery）的方法❻，也可清楚看出隨著工業化的演進，各階段工業中各業別的生產值所佔比率的變化情形。此法即計算各業的生產值比重，並區分爲非耐久性消費財（即輕工業部門）、中間產品及資本財與耐久性消費財（二者合稱重工業部門），計算結果如表3-3。如表所示非耐久性消費財之比重逐漸下降，唯一的例外是橡膠業，而居輕工業重要地位的食品與紡織二業下降趨勢最爲顯著。至於中間產品的比重則呈緩慢增加，不過65年以後已略見下降，倒是資本財與耐久性消費財在歷年期均呈一路攀升的現象。民國43年輕工業比重高達72.10％，而重工業僅佔27.90％，到60年輕重工業的比重逐漸拉平（51.14％、48.86％）；民國65年重工業已經超前，70年亦然；到75年輕工業仍佔44.77％，重工業則佔55.23％。其中變化最大、減少最多的是非耐久性消

表3-3 臺灣地區工業依錢納利分類之生產結構（1954－1986）

單位：佔工業生產值之 %

業別＼年度	43年	50年	55年	60年	65年	70年	75年	55－75年變化
非耐久性消費財	72.10	62.46	58.14	51.14	44.94	44.20	44.77	－13.37
1.食　品	21.00	26.85	26.99	15.59	13.00	8.36	7.07	－19.92
2.飲料菸草	15.56	10.45	7.52	4.74	3.27	3.00	2.51	－5.01
3.紡　織	21.83	14.72	14.14	16.34	15.76	10.50	9.80	－4.34
4.服　飾	2.94	1.61	0.95	4.04	3.14	2.90	2.98	2.03
5.木材家具	3.94	4.98	5.43	5.39	3.93	3.30	3.06	－2.37
6.印刷出版	4.40	1.24	0.95	0.84	0.73	3.43	3.84	2.89
7.皮　革	0.32	0.26	0.14	0.36	1.10	1.36	1.94	1.80
8.橡　膠	1.11	1.27	1.29	1.37	1.46	8.89	9.95	8.66
9.雜　項	1.00	1.08	0.73	2.42	2.55	2.46	3.62	2.89
中間產品	24.11	28.61	29.70	29.25	32.36	28.62	23.66	－6.04
1.造　紙	3.33	3.24	2.97	3.04	2.53	－－	－－	－－
2.化　學	7.91	9.54	12.55	13.19	14.00	8.13	9.23	－3.32
3.油　煤	4.70	4.74	5.29	5.16	7.49	9.95	4.68	－0.61
4.非金屬	4.40	5.84	4.94	3.69	3.62	4.20	3.16	－1.78
5.基本金屬	3.77	5.25	3.95	4.17	4.72	6.34	6.59	2.64
資本財與耐久性消費財	3.79	8.93	12.16	19.61	22.70	27.18	31.57	19.41
1.金　屬	0.85	2.85	2.04	2.46	4.33	4.55	5.91	3.87
2.機　械	1.18	1.87	2.56	2.94	2.90	3.35	3.29	0.73
3.電機電子	1.15	1.91	4.44	11.02	10.97	13.24	16.79	12.35
4.運　輸	0.61	2.30	3.12	3.19	4.50	6.04	5.58	2.46
	100.00	100.00	100.00	100.00	100.00	100.00	100.00	－－

資料來源：同表3-4資料來源說明。

　　註：70－75年工商普查資料中飲料、烟草已合併，木材與家具也合併，至於70及75年造紙也已併入印刷出版業中。

費財，其年變化率達－13.37，尤以食品業爲最（－19.92）；其次爲中間產品（－6.04）。至於增加最快的是資本財與耐久性消費財（19.41），尤以電機電子業爲最（12.35），橡膠業也達8.66。凡此均足以說明重工業益見重要。若按各業別生產值在各年期比重較大的六項業別由大而小排列，顯示在歷年期的七次工商普查資料中，前三期（43、50、55）排列居前的傾向於非耐久性消費財（特別是以紡織、食品爲主）；60年起屬中間產品的化學和屬耐久性消費財的電機電子業開始竄升，後者更於70年起晉升首位（增加率達12.35），而資本財與耐久性消費財的年變化率更高達19.41，其所屬各業別的變化率且均呈正值，尤以電機電子、金屬及運輸等業的上升趨勢最明顯。由此一事實也可再度確認電機電子、化學、基本金屬及運輸等業必將扮演台灣地區主導產業的重要角色。

觀察工業結構變化的另一個方法是計算所謂霍夫曼（Hoffmann）比率，表3-4即計算消費財工業的生產值對資本財工業生產值的比值，其商即爲霍夫曼比率❼。由表3-4的計算結果可知，在過去32年間（43－75），七次普查資料的霍夫曼比率呈現逐次下降的趨勢，尤以43年至50年的下降幅度最大，從3.329降爲1.977，其中43年消費財生產值佔壓倒性比重，可算是工業化的第一階段；50年爲第二階段，消費財仍佔優勢；到55年比率值略降爲1.715，顯示已進入工業化第三階段，60年及65年此一比率續降，70年起資本財產業的比重已大幅超過消費財產業，75年亦然。顯示台灣工業化已邁入第四階段，霍夫曼比率已降至0.8101。

綜如上述可知，台灣在戰後工業發展極爲迅速，歷經三十餘年的發展，主導產業已從一級產業移轉爲二級產業，目前也已逐漸邁入以第三級產業爲主的後工業化時期。早期因爲輕工業的穩定發展使重工業發展奠定良好的基礎，同時工業成長一直相當穩定而且迅速。而依工業生產結構變化係數、錢納利分析法及霍夫曼比率三項指標討論台灣工業結構的變化情形，其結果也顯示台灣工業發展先輕工業後重工業之特質，同時屬於重化工業的電機電子、化學、基本金屬及運輸等項工業將扮演未來主導產業的重要角色。

表3-4　臺灣地區工業量夫受比率之變化（1954－1986）

生產值單位：千元

年　度	43年(1954)	50年(1961)	55年(1966)	60年(1971)	65年(1976)	70年(1981)	75年(1986)
消費財製造業							
食　品	1,781,532	10,135,384	22,961,616	37,871,459	106,532,617	171,080,176	237,069,081
飲料菸草	1,319,228	3,945,932	6,400,233	11,645,330	26,836,626	61,376,092	84,061,628
紡　織	1,851,420	5,556,874	12,034,627	39,700,725	129,133,122	214,803,957	328,849,301
服　飾	249,482	606,159	810,780	9,807,804	25,707,064	59,244,106	100,075,430
家　具	59,571	295,903	218,662	822,020	3,354,875	67,487,378	102,640,010
皮　革	27,354	98,058	120,936	866,363	9,044,749	27,902,661	65,178,020
總　計	5,288,587	20,638,310	42,546,754	100,713,701	300,609,053	601,894,370	917,863,470
資本財製造業							
化　學	671,275	3,602,402	10,681,463	32,039,542	114,755,782	166,248,604	309,855,757
非金屬	373,157	2,203,346	4,201,581	8,966,576	29,676,390	86,004,134	106,098,855
基本金屬	319,637	1,981,305	3,358,023	10,111,285	38,625,411	129,728,045	221,270,865
金　屬	72,477	1,075,229	1,738,936	5,973,292	35,451,481	92,994,638	198,229,952
機　械	100,220	705,905	2,181,166	7,131,243	23,791,743	68,537,017	110,288,416
運　輸	51,878	868,934	2,651,647	7,771,251	36,928,350	123,254,940	187,249,689
總　計	1,588,644	10,437,121	24,812,816	71,993,189	279,229,157	666,767,378	1,132,993,534
量夫受比率	3.3290	1.9774	1.7147	1.3989	1.0766	0.9027	0.8101

資料來源：1.民國50、55、60和65年根據該年工商普查報告表1製造業概況編算，70、75年資料則依主計處提供之電腦報表編算。

2.民國43年工商普查報告缺生產值資料,上列資料根據經濟部「臺灣銀行合編『臺灣生產統計月報』，第1期，1967，46－50頁。該資料係根據民國43年工商業普查資料籍計算標準（見附表說明一）。同一統計月報第13期，1958，46－48頁，亦引用同一統計資料。

註：70年起飲料、菸草二業未分開，故此處二者併計。

46

3-3 台灣工業在世界體系中的地位

綜合以上四個階段和工業結構轉變的分析，顯見台灣工業快速成長的主要基礎，在於國際市場和貿易的大量需求。換言之，藉著出口擴張，使得許多製造業得以依賴國外市場作爲產品的通路，進而帶動工業的全面成長。從這個意義看來，台灣這種典型的出口導向工業化（ Export－oriented Industrialization ），確與新國際分工具有密不可分的關係。配合有關的研究結果，基本上台灣是透過工業用地編定及工業區的設置、加工出口區的設立、國際分包方式的強化和外資的積極引進等四項機制，而逐漸納入世界分工體系❽。以下即就此四項機制作扼要分析：

首先討論第一項機制，即工業用地編定和工業區的設置，從獎勵投資條例頒布施行（ 49.9.10. ）以來，台灣經濟快速成長，工業發展突飛猛進，其中工業用地的編定和工業區的開發設置，扮演了相當重要的角色。它一方面引導工業發展的方向；再方面也刺激地區性工業的大量投資，加速地區的發展，也成爲都市與社會繁榮的原動力。根據該條例第廿五條規定：「 行政院應主動將公有土地或私有農地編定爲工業用地，以供興辦工業投資設廠用。 」雖然依此規定所編定的工業用地（ 共59處 ），其分散工業發展的目標未能克竟全功❾，但私人申請變更之工業用地則達近萬公頃（ 9,600公頃 ），這對便利私人取得工業用地有重要意義。

至於工業區，嚴格說應包括「 都市計畫工業區 」和「 規畫開發工業區 」兩種，前者係指經都市計畫法程序編定爲工業使用者；後者則指一塊經編爲工業用地之土地，由政府或公、民營企業機構加以計畫開發，並予以維護管理者，顯然這也是台灣地區另一個工業聚集的重心，其對促進台灣工業開展並迅速納入世界經濟體系亦有其積極意義，故本文也針對工業區的設置及其分布情形略作討論。

基本上，工業區的開發是促進地方工業發展的重要途徑，也是配合工業化政策最具體有效的方式。爲適應經濟發展的需要，自民國49年迄今，已經開發完成

表3-5 公營機構開發工業區的時間與位置

工 業 區 名 稱	開 發 時 間	工 業 區 性 質	總面積（公頃）	位　　置
六堵工業區	49.10－52. 6	綜合性	59	基隆市七堵區
高雄臨海工業區第一期	52. 6－54. 6	綜合性	149	高雄市前鎮區
龜山工業區	55. 1－58. 6	綜合性	127	桃園縣桃園市龜山鄉
內壢工業區	56.10－58.12	綜合性	43	桃園縣中壢市
頭份工業區	57. 1－65. 2	石油化學	96	苗栗縣頭份鎮
高雄臨海工業區第二期	57. 3－61. 6	綜合性	208	高雄市前鎮區
平鎮工業區	58. 2－68.12	綜合性	97	桃園縣平鎮鄉
大社工業區	59. 6－60. 6	石油化學	61	高雄縣大社鄉
仁武工業區	59. 8－60. 6	綜合性	21	高雄縣仁武鄉
桃園幼獅工業區	60. 6－61.12	青年創業綜合性	64	桃園縣楊梅鎮
樹林工業區	60. 8－61. 9	木器專業	22	臺北縣樹林鎮
安平工業區	60.10－64. 7	綜合性	198	臺南市安平區
高雄臨海工業區第三、四期	61. 1－66.12	綜合性	1,648	高雄市小港區
頭橋工業區	61. 6－62. 5	綜合性	86	嘉義縣民雄鄉
豐田工業區	61. 7－63. 6	綜合性	39	雲林縣大坤鄉
大武崙工業區	61.12－62.12	綜合性	30	基隆市安樂區
北部特定工業區	62. 1－65.10	石油化學	478	桃園縣桃園市龜山鄉
竹山工業區	62. 3－62. 8	農村工業	23	南投縣竹山鎮
土城工業區	62. 3－64. 9	綜合性	107	臺北縣土城鄉
福興工業區	62. 3－62. 9	綜合性	43	彰化縣福興鄉
元長工業區	62. 3－62. 8	農村工業	16	雲林縣元長鄉
鳳山工業區	62. 4－63. 6	汽車修配	11	高雄縣鳳山市
中壢工業區	62. 7－65.12	綜合性	384	桃園縣中壢市
臺中工業區第一期	62. 7－66. 5	綜合性	169	臺中市西屯區南屯區
埤頭工業區	62. 7－63. 5	農村工業	18	彰化縣埤頭鄉
永安工業區	62. 9－64.12	綜合性	73	高雄縣永安鄉
林園工業區	62.10－64.12	石油化學	388	高雄縣林園鄉
屏東工業區	62.11－64.12	造紙及綜合性	156	屏東縣屏東市
義竹工業區	62.11－63. 5	農村工業	16	嘉義縣義竹縣
嘉太工業區	63. 3－64.12	綜合性	60	嘉義縣太保鄉
美崙工業區	63. 1－65.10	綜合性	136	花蓮縣花蓮市
官田工業區	63. 8－66.12	綜合性	227	臺南縣官田縣
大社擴大工業區	63. 4－64.12	石油化學	54	高雄縣大社鄉
南崗工業區	63.10－65.10	綜合性	213	南投縣南投市

表3-5　公營機構開發工業區的時間與位置（續）

臺中港關連業工業區第一期	64. 7－69. 4	綜合性	140	臺中縣梧棲鎮
龍崎工業區	64. 7－65. 7	國防工業	342	臺南縣龍崎鄉
大發工業區	64.10－67. 9	綜合性	391	高雄縣大寮鄉
臺中幼獅工業區	65. 1－67. 3	青年創業綜合性	218	臺中縣大甲鎮
大園工業區	65. 1－68. 1	汚染性	123	桃園縣大園鄉
銅鑼工業區	65. 3－67. 5	綜合性	50	苗栗縣銅鑼鄉
龍德工業區	66. 1－67.12	綜合性	236	宜蘭縣蘇澳鎮冬山鄉
臺中工業區第二期	66. 3－70. 6	綜合性	232	臺中市西屯區南屯區
新竹科學工業園區第一期	66.10－72. 6	科學工業	207	新竹市新竹縣寶山鄉
民雄工業區	67. 7－69.10	綜合性	244	嘉義縣民雄鄉
永康工業區	67. 9－70. 4	綜合性	75	臺南縣永康鄉
芳苑工業區	67.11－71. 6	綜合性	160	彰化縣芳苑鄉
林口「工三」工業區	68. 1－71. 2	綜合性	123	臺北縣林口鄉桃園縣龜山鄉
瑞芳工業區	68. 4－71. 3	綜合性	38	臺北縣瑞芳鎮
斗六工業區	68. 8－71. 2	綜合性	55	雲林縣斗六鎮
朴子工業區	68. 8－70. 6	綜合性	21	嘉義縣朴子鎮
林口「工二」工業區	68. 9－71. 2	綜合性	55	台北縣林口鄉泰山鄉五股鄉
池上工業區	63. 6－63.10	蠶絲加工	4	臺東縣池上鄉
新竹工業區	63.10－66. 7	綜合性	271	新竹縣新豐鄉湖口鄉
五股工業區	71. 6－75.11	綜合性	136	臺北縣五股鄉
大園擴大工業區	68.10－72. 2	汚染性	74	桃園縣大園鄉
觀音工業區第一期	69. 6－75. 1	綜合性	358	桃園縣觀音鄉
新竹擴大工業區	68. 5－72. 6	綜合性	261	新竹縣湖口鄉
竹南工業區	70.10－72.12	綜合性	78	苗栗縣竹南鎮
南岡擴大工業區	68. 2－71.12	綜合性	198	南投縣南投鎮
新營工業區	70. 3－72.12	綜合性	124	臺南縣新營鎮
新竹科學工業園區第二期	71.10－74. 6	科學工業	57	新竹市新竹縣寶山鄉
內埔工業區	69.10－73. 2	綜合性	99	屏東縣內埔鄉
豐樂工業區	69. 7－71.12	綜合性	18	臺東縣臺東市
合　　計	63處		9,710	

資料來源：經濟部工業局，台灣地區工業區開發簡介，1986，第4－10頁。

各種類型與規模不等之工業區共達76處（表3-5～3-6），另外開發中的工業區還有8處，加工出口區則有3處（表3-7），留下段説明。在整個開發過程中，爲因應經濟形態的改變和發展目標的更替，大致可歸納四個階段：

表3-6　私營機構開發工業區的時間與位置（1960-1983）

工 業 區 名 稱	開 發 時 間	工業區性質	總面積（公頃）	位 置	開發企業機構名稱
保安工業區	58. 1～71. 6	綜合性	60	臺南縣	永德開發公司
泰山工業區	61. 1～65.12	綜合性	123	臺北縣	臺灣塑膠公司
新市工業區	62. 2～65.10	綜合性	25	臺南縣	國際興業公司
大興工業區	62. 3～63. 6	綜合性	17	桃園縣	大興紡織公司
三義汽車製造工業區	67. 1～69.12	汽車工業	276	苗栗縣	裕隆汽車公司
三義工業區	67.11～69. 6	汽車相關工業	76	苗栗縣	裕元開發公司
大將工業區	68.12～70.12	綜合性	21	雲林縣	大將建設開發公司
太平工業區	69. 1～71. 1	綜合性	18	台中縣	中邑開發公司
龍船工業區	71. 6～72.12	綜合性	17	台南縣	台灣金屬合板公司
北埔工業區	71. 1～72.12	綜合性	35	新竹縣	齊魯企業公司
合　計	10處		668		

資料來源：同表3-5，第10-20頁。

表3-7　加工出口區的開發時間與位置（1963-1973）

工 業 區 名 稱	開 發 時 間	工 業 區 性 質	總面積（公頃）	位 置
高雄加工出口區	52. 6～54. 6	加工出口	66.3039	高雄市前鎮區
楠梓加工出口區	61. 7～62. 8	加工出口	88.0547	高雄市楠梓區
潭子加工出口區	61. 7～62. 5	加工出口	23.4763	臺中縣潭子鄉
合　計	3處		177.8349	

資料來源：同表3-5，第21頁。

㈠以配合經濟目標爲主（1960-1971）：此期正值我國積極推行工業化和加速經濟建設階段，故工業區開發首重配合工業發展和重大經建計畫。前者旨在改善台北、高雄兩地之投資環境與設廠用地，如六堵、崁頂、龜山、樹林、內壢、幼獅、平鎮及仁武、安平等工業區；後者則旨在配合經建計畫，乃開發專業性工業區如苗栗、頭份石化工業區，高雄臨海工業區以及大社工業區。此期因規模較大，且都集中北、高兩市附近，致加劇南北兩大都會過密發展，且加速農村人口外流。

㈡以配合加強農村建設爲主（1972-1973）：此一階段開發的工業區，多以

促進農村工業發展，提高農民收入以穩定人口。故選擇中南部地區開發農村工業區，或地方市鎮開發中型工業區，例如竹山、元長、埤頭、義竹、頭橋、豐田及嘉太等工業區。而此期適值我國經濟快速成長之際，工業用地需求殷切，政府乃於大都市附近增闢工業區，如大武崙、土城、鳳山、中壢等區。

(三)以配合區域發展爲主（1974－1981）：此時台北、高雄都會因過密發展，勞動力顯現不足，且聚集不經濟之缺點逐漸顯明。而其他地區因交通易達性之改善和地區勞動來源充足，故頗多投資人轉往都會邊緣或其他地區設廠，因之此期不僅設置數量較前兩期多，工業區的規模亦較前兩期爲大。同時政府也意識到工業分散發展對促進區域均衡發展的重要性❿。本期設立的工業區如宜蘭龍德、苗栗銅鑼、南投南崗擴大、彰化芳苑、嘉義民雄、台南新營及台東豐樂等。

(四)以配合工業升級爲主（1982年迄今）：本期除賡續結合工業區開發和區域發展目標外，更重要的是配合工業結構升級政策，設立新竹科學工業園區並籌設自由貿易區，以加強工業產品的研展工作，加速促進工業技術升級。

綜言之，台灣地區近三十年來，在全省各地所開發完成的76處工業區，面積共達10,556公頃（表3－5~7），另開發中也有5,235公頃（部份已暫緩開發，如面積達3,623公頃的彰濱工業區）。顯然其設立對於國家整體經濟成長，以及就個體言，促進地方繁榮、便利興辦工業，使台灣迅速成爲國際社會中的一個重要經濟實體等層面言，確有重要貢獻，同時在工業區設立的大量工廠，其占外銷之比例也高，出口數量亦大，當然對世界市場的依存度亦高，因此工業區的設立也是台灣納入世界分工體系的一項重要機制。然而就空間分布言，由於工業區大多集中南北兩大都會及主要交通幹線附近（圖3－2~3），同時許多位置偏遠地區的工業區其出售率偏低⓫，因之工業區的開發效果未必全然與區域發展目標相配合，這些偏頗現象顯然對於台灣地區的都市及區域發展的空間形態有極爲不利的影響（圖3－2~3）。

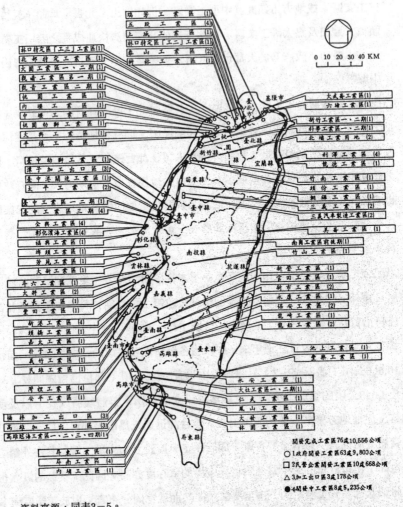

資料來源：同表3-5。

圖3-2　台灣地區工業區開發概況及其分布

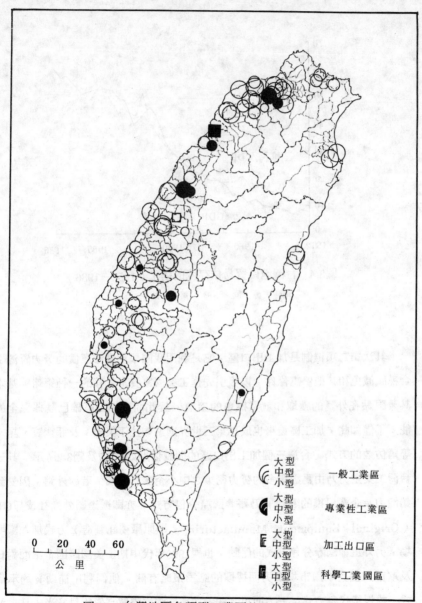

型
大型
中型
小型　一般工業區

大型
中型
小型　專業性工業區

大型
中型
小型　加工出口區

大型
中型
小型　科學工業園區

0　20　40　60
公　里

圖3-3　台灣地區各類型工業區的分布與規模

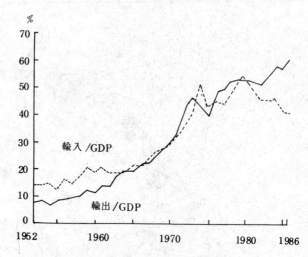

圖3-4　台灣地區貿易依存度的變化（1952－1986）

資料來源：同表3-1，第43頁。

　　其次第二項機制是加工出口區，它是利用我國早期豐沛廉價的勞力資源，配合稅賦減免和其他優惠條件，以吸引先進工業國家資本外移的一種策略。基本上其著眼點在外匯的獲取和就業機會的擴增，就此而言加工區確已發揮完全的功能。不僅如此，加工區後來也成爲第三世界國家如拉丁美洲，及菲律賓、星、馬等國仿效的方式。台灣三個加工出口區的開發情形如表3-7及圖3-2所示；其三，台灣工業主力乃由爲數衆多的勞力密集之中小企業所組成，若欲外銷，因受到行銷能力及企業規模的限制，乃藉著國際分包方式，亦即透過國外商社或採OEM（ Original　Equipment　Manufacturing，即原廠委託製造）方式加入國際市場，另外這種國際分包方式的促動，也與1960年代中期，美國跨國企業面對日本及歐市入侵其本國市場壓力而採取的應對策略有關。他們利用補助契約承購方式，或授權代製方式，一方面控制關鍵技術，強迫購買高價物料及半成品，並制

54

止國外競爭，以免危及其商業壟斷利益；另一方面也利用本地廠商的社會網路，徹底而充分利用台灣之勞動力，1960年代中期，美國若干知名電子裝配工廠，諸如飛歌、無線電、摩托羅拉及增你智公司的先後來台設廠，後來日本大廠也相繼跟進，此正是國際分包方式的顯例。基本上，他們只是為了利用這裏的加工或代工條件，將半成品輸入加工後即回銷母公司，貼上商標後以其原有品牌外銷世界市場，在調查各地電子工廠時也發現這類工廠為數仍多。台灣之所以能成為重要的國際加工基地⑫，這種分包方式應為主要原因。

最後一項機制是外資的引進，進入台灣的外資，主要為美資、日資和僑外資。其中僑外資以投資於紡織、水泥等業為主；美資則早自1950年開始即對石油、電力及合纖等業貸款並進行技術合作，1960年代後半期其投資較前半期遽增四倍，多集中於電子加工業，此乃因面對新國際分工和越戰，所進行的「亞洲整合策略」（Asia—integrating Strategy）有以致之。1970年以後外商投資漸由著眼勞力轉向國內市場之原料供應，以供中小工廠加工後再出口⑬。至於日商來華投資則可分兩類：其一為中小企業在台灣找尋落伍產業新存活地，往往藉其專利生產技術，配合舊有機器設備移轉，並由日本購買原料而在台生產，其目的是將污染性工業和勞力密集落伍產業移到台灣，納進其跨國生產體系中的一環；其二，日本大商社將生產與採購行銷分開，在本地建立其特定分包生產的層級系統。綜言之，外商透過運用本地高品質、低成本的勞力資源，並結合其技術與行銷策略，而將台灣這個深具潛力的國際加工基地緊密的納入世界經濟體系。顯然他們並不願見台灣建立其自主的工業基礎。

再從貿易依存度來看（圖3-4），台灣對進出口之依賴皆相當高，其中出口依存度由1965年20％迅速升高到1980年代的超過60％，唯一的例外是1974年，係受石油危機影響，至於進口依賴度則稍低，目前仍維持40％水準。若再以工業生產中的出口擴張效果和輸出就業效果兩項指標來觀察，也分別達25.8％和34.0％⑭，顯然整個工業生產機能已被整合於世界資本主義體系之中，因此台灣的工業成長，基本上就是一個依賴發展的過程。這種依賴要回溯到日據時

期（1895－1945），而後是大量的美援（1960年代），1965年外資的大量進入取代了美援，台灣更極端的依賴對外貿易。特別值得一提的是：處於世界體系中之邊陲地區的台灣，其依賴特貿又這麼明顯，可是台灣似乎又構成依賴理論的特例⑮，而與一般開發中國家的發展經驗大異其趣。或許這其中的關鍵，應該歸因於政府組織機構和民間企業之間。在經濟成長過程中，良好而健全運作的互動關係所致。

展望未來，美國因巨額的貿易赤字，遂採取諸多措施以刺激出口並壓抑進口，結果造成經濟逐漸衰退現象。因此日本即將取代美國，而成爲世界經濟舞台的主角和資本主義世界的領導地位⑯。同時，過去環大西洋經濟時代也將被環太平洋經濟時代所取代⑰，而以日本爲核心的亞洲經濟圈也已漸具輪廓。另方面由於日本的經濟貿易實力日增（圖3-5），其與北美、歐市及其他各地的雙邊貿易額更不斷擴增，此外其進口的數額也相對大幅擴張，而且進口產品結構也不斷改變。可以預見的其擴充結果勢將使亞洲的新興工業國（特別是台灣、南韓、新加坡和香港等亞洲四小龍）與日本的經濟關係更加緊密，貿易活動也將更趨熱絡，且產業分工也將更趨精密。準此以觀，由於台灣過去工業成長迅速且成果輝煌，而且以目前所擁有的外匯存底數額和外貿實力言，其在未來東亞、甚或整個亞洲經濟力量重新整合的過程中，勢將持續扮演一個重要經濟實體的角色。圖3-4是台灣在世界貿易流通體系中的地位，台灣做爲亞洲新興工業國，其與北美（美、加）和日本兩個大市場的依附關係清晰可見。基本上，國內經貿力量的突飛猛進，與美、日兩國在1970年代產業的空洞化，迫使產業輸出有密切關係。顯然這20餘年來，我們所依賴的，正是因爲我們擁有品質尚稱良好而且價格便宜的製造業零組件產品供應（特別是以電子電機、紡織品、化學材料及基本金屬等項工業爲主），而使我國透過前述OEM國際分工方式，納入世界多國籍企業的衛星工廠之生產體系之中。

而在此一過程中，爲工業成長扮演最大貢獻角色的正是占了絕大多數的中小企業。他們的企業體質雖弱，但應變能力與生產能力均佳。因之在可預見的未

來，如果國內零組件工業的生產技術能夠在現在已有的良好基礎上，繼續提高技術層次，同時追求一流的企業管理、服務及產品品質和形象，相信我們仍將是世界經濟體系中，在美、日垂直分工系統下，不可或缺的零組件製造業之重要供應地（圖3-5～6）。而今天東南亞第三世界國家（如菲律賓、印尼、泰國及馬來西亞等國）和較貧窮的第三世界國家如中國大陸及印度等，其與美、日等國和亞洲四小龍之間的依附關係，也一如過去四小龍對美、日的依附關係般，幾無二致。因此目前國內許多已無競爭力的中小企業或大企業紛紛外移，尤其把投資目標朝向第三世界中較落後的東南亞地區和中國大陸，這就現階段亞洲工業體系的發展而言，也是一項必然的市場重分配過程，今天國內為數頗多的企業外移泰、馬及大陸等地區，顯然這對處理並解決我國的巨額出口順差問題，也具有若干正面意義。換言之，其對工業升級和國內工業結構的改善也具有若干重要功能。

最後綜合本章的討論，不論從階段性發展過程，抑或是結構性變化特色來看，均出現先輕工業後重工業，以及先勞力密集後技術及資本密集工業之發展特色。以表3-8各項工業生產值所占百分比的長期變化觀之，亦可歸納出各個發展階段的代表性工業：在民國40年代（1953－1963）的摸索調整期，是以食品、紡織、化學、非金屬及木材製品為主，此五項工業合占總生產值的六成以上，其中前兩項的食品、紡織更占達四成以上（43.7％）；到第二期的高度工業成長階段（1964－1973），其代表工業依序分別是電子電機、紡織、化學、基本金屬、食品和運輸等業，正如前面工業結構的分析指標所顯示的，重化工業的比重已逐漸突顯；到第三階段的不安定成長期（1974－1979），此一趨勢更加明朗；到目前的低成期（1980以後迄今），其代表性產業則為電子電機、化學、紡織、油煤製品、基本金屬及運輸等六項，其所占生產值比重依序是15.6、14.2、9.4、7.5、6.0、5.9，六業合占59.4％。基本上，此一結果與前述結構變化係數、錢納利法及霍夫曼係數等三項方法的分析所得完全相符。而且在所有的代表性工業中，其中尤以紡織工業和電子電機工業最為典型，誠如前已述及的，紡織在1950年代就已奠定重要發展基礎，因為它結合了美援、原料、技術、人才、資金及勞工等諸

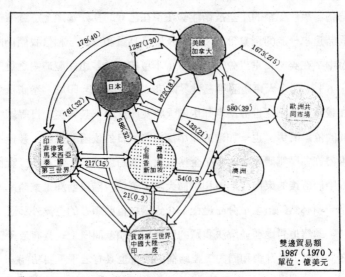

資料來源：改繪自天下雜誌，90：99（1988）。

圖3-5　台灣在世界經貿流通體系中的地位

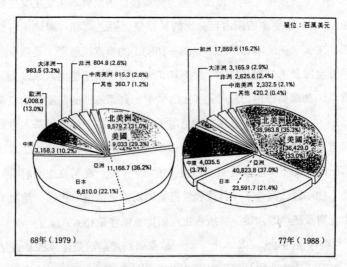

資料來源：經濟部國貿局，中華民國77年對外貿易發展
概況，第18頁，78年版。

圖3-6　我國與世界各地的貿易比例及其分布情形

表3-8　台灣地區各項工業生產值所佔％之累年變化（1951－1986）

（按國內生產毛額計算）

別	1951	1952	1953	1954	1955	1956	1957	1958	1959	1960	1961	1962	1963	1964	1965	1966	1967	1968
1. 食品	29.9	24.7	23.6	26.8	30.8	30.6	33.9	31.0	32.4	28.2	26.5	26.4	32.1	30.1	22.4	18.2	21.0	17.0
2. 飲料	0.3	0.2	0.5	0.4	0.5	0.6	0.4	0.6	0.6	0.6	0.6	0.6	0.5	0.5	0.6	0.8	0.9	0.6
3. 菸	3.2	3.0	9.1	6.0	2.9	3.4	4.3	4.2	3.0	2.9	2.7	3.2	4.9	2.7	2.5	3.0	0.5	3.2
4. 紡織	16.8	18.2	20.5	21.4	20.1	14.9	13.7	13.0	13.2	12.8	11.4	11.7	11.6	12.4	13.3	13.1	11.9	10.1
5. 服飾	2.2	3.4	3.0	3.9	3.1	2.9	2.6	2.5	3.1	3.3	3.5	3.3	3.7	5.3	3.5	3.0	2.9	2.8
6. 木材	3.5	7.0	5.0	3.9	3.7	4.9	3.9	3.8	3.8	4.2	4.9	4.6	3.7	4.3	4.3	4.0	3.8	4.8
7. 家具	0.7	0.9	0.8	2.5	0.9	1.1	1.2	1.0	1.0	1.0	1.1	0.7	0.5	0.7	0.7	1.0	0.8	0.8
8. 紙	4.4	3.8	3.3	3.2	3.5	4.5	3.9	3.6	3.4	3.9	3.5	3.0	2.8	3.0	3.0	3.3	2.6	2.7
9. 印刷出版	3.1	4.0	3.9	3.3	3.0	4.1	3.9	4.1	4.0	4.6	4.4	4.6	3.2	2.9	3.1	2.8	2.9	2.5
10. 皮革	0.7	0.8	0.4	0.9	0.3	0.4	0.2	1.0	0.2	0.3	0.3	0.2	0.9	0.2	0.2	0.1	0.5	0.3
11. 橡膠	1.7	1.6	1.4	0.9	1.3	1.3	1.1	1.0	1.2	1.2	1.2	1.3	0.9	0.9	1.0	1.0	1.0	1.1
12. 化學	15.6	14.7	9.8	10.9	7.9	7.5	6.8	7.8	6.8	6.6	9.3	10.7	10.7	11.8	11.7	11.6	11.8	12.9
13. 油煤	4.3	3.8	4.1	5.9	5.0	4.4	4.7	5.1	5.1	5.4	6.2	6.3	5.3	4.8	6.2	8.3	8.1	8.6
14. 非金屬	0.4	0.6	0.6	2.0	6.0	6.3	5.9	7.7	6.4	8.0	8.0	6.8	6.8	6.4	7.2	7.5	6.8	1.6
15. 基本金屬	1.5	1.3	2.0	1.4	1.5	2.7	3.4	3.4	2.5	3.1	4.1	2.6	2.2	1.9	2.4	2.4	1.9	3.0
16. 金屬製品	1.9	2.2	1.7	1.4	1.3	2.2	2.0	1.8	1.9	2.2	2.7	2.9	2.1	2.6	3.3	3.8	3.5	3.0
17. 機械	0.7	1.2	1.4	1.4	1.9	1.1	1.7	2.0	2.2	2.2	2.3	2.5	2.3	2.4	3.4	3.8	3.9	10.3
18. 電子	1.2	1.2	1.4	1.7	1.9	2.4	2.0	2.0	3.6	3.8	2.8	2.9	2.3	3.5	4.6	6.2	6.9	3.0
19. 運輸	4.2	4.2	3.1	2.5	2.5	2.3	2.4	2.1	1.7	1.5	2.8	1.3	1.2	2.3	5.0	4.7	2.1	10.3
20. 雜項	1.2	1.2	1.4	1.7	1.9	2.3	2.0	2.1	1.7	1.5	1.4	1.3	1.2	1.3	1.6	1.9	2.1	2.4
計	100.0	100.0	100.0	100.0	100.0	100.0	100.0	100.0	100.0	100.0	100.0	100.0	100.0	100.0	100.0	100.0	100.0	100.0
製造業占國內生產毛額之比率（％）	27.2	29.9	33.4	36.9	36.9	33.6	30.5	33.8	34.2	35.7	36.2	35.4	35.0	34.5	35.1	37.2	36.0	39.0

別	1969	1970	1971	1972	1973	1974	1975	1976	1977	1978	1979	1980	1981	1982	1983	1984	1985	1986
1. 食品	16.2	13.8	11.0	8.3	6.0	10.6	9.5	10.9	9.0	7.1	7.1	6.9	6.4	6.5	6.3	6.0	6.3	5.3
2. 飲料	2.0	0.5	0.5	0.5	0.4	0.4	0.5	0.6	0.6	0.6	0.5	0.6	0.5	0.6	0.6	0.6	0.6	0.5
3. 菸	13.8	2.7	2.7	0.4	2.4	1.9	0.5	0.7	1.4	1.2	0.9	1.1	0.1	0.7	1.0	1.0	1.0	1.1
4. 紡織	11.6	12.6	12.8	13.3	14.0	9.9	11.6	12.2	11.4	11.2	9.9	10.3	10.8	8.8	7.0	8.1	7.7	9.4
5. 服飾	3.8	5.5	7.4	7.0	6.3	6.3	5.4	5.8	6.2	6.0	5.9	6.0	7.0	5.4	6.3	6.6	7.7	5.9
6. 木材	4.3	4.0	3.7	4.7	5.4	6.3	3.5	2.7	2.4	2.8	3.4	3.4	4.7	4.2	4.2	4.2	4.3	3.8
7. 家具	1.0	0.8	0.7	0.7	0.7	0.6	0.6	0.6	0.6	0.7	1.0	1.0	0.9	1.0	1.0	0.9	1.4	1.2
8. 紙	2.5	2.6	2.6	2.1	2.2	2.8	2.4	2.2	2.1	2.4	2.4	2.3	2.2	2.4	2.5	2.5	2.5	2.1
9. 印刷出版	2.3	2.3	2.6	2.7	2.7	2.2	2.4	2.2	2.1	2.3	2.4	2.8	2.3	2.2	2.0	2.1	2.3	2.0
10. 皮革	0.3	0.4	0.6	0.7	0.8	2.2	2.8	2.4	2.4	0.7	1.0	1.4	1.5	1.7	1.9	1.5	1.6	2.1
11. 橡膠	2.4	1.1	1.1	1.3	1.5	1.4	1.4	1.3	1.2	1.4	1.2	1.4	1.5	1.5	1.5	1.5	1.6	1.6
12. 化學	12.4	12.2	10.8	12.3	13.7	14.3	14.4	13.2	11.9	12.0	12.7	12.0	13.6	13.4	12.9	13.4	14.3	14.2
13. 油煤	8.7	7.1	8.5	7.9	3.9	3.8	4.8	5.2	7.1	3.8	4.5	3.8	3.5	3.9	6.0	5.5	6.3	7.5
14. 非金屬	5.5	2.5	3.1	3.3	3.4	2.2	5.3	5.3	5.5	4.2	7.4	4.9	4.8	4.2	3.9	4.2	3.3	3.0
15. 基本金屬	1.6	2.5	3.0	3.8	4.1	5.3	3.2	3.3	3.3	3.8	3.5	3.4	4.4	4.2	4.2	4.2	3.6	3.8
16. 金屬製品	3.4	3.0	3.1	3.4	3.8	2.2	3.8	3.8	3.9	3.9	3.1	3.4	4.7	4.3	3.6	4.2	3.9	3.9
17. 機械	10.4	10.7	11.1	12.2	14.6	13.2	11.9	11.7	11.8	11.8	12.6	13.2	13.1	11.3	12.0	13.5	3.7	3.9
18. 電子	6.3	4.7	5.2	5.8	4.9	5.2	7.1	5.5	6.3	6.3	6.1	6.2	6.1	6.5	6.4	6.0	5.6	15.6
19. 運輸	3.4	3.0	6.4	4.8	5.0	7.4	8.5	8.5	11.7	11.5	8.8	10.0	8.8	8.0	7.7	8.2	8.3	5.9
20. 雜項	—	—	—	—	—	—	—	—	—	—	—	—	—	—	8.4	8.2	8.3	8.0
計	100.0	100.0	100.0	100.0	100.0	100.0	100.0	100.0	100.0	100.0	100.0	100.0	100.0	100.0	100.0	100.0	100.0	100.0
製造業占國內生產毛額之比率（％）	27.2	27.3	29.9	33.4	36.9	33.6	30.5	33.8	34.2	35.7	36.2	35.4	35.0	34.5	35.1	37.2	36.0	39.0

資料來源：行政院主計處編印，台灣地區國民所得，民國75年及76年刊。

59

多有利條件，故在1970年以前，紡織業生產值一直都是僅次於食品業而居第二位（表3-8），到1971－72甚至躍升爲第一位（約占14％），唯其後即逐年衰退，目前約占9.4％；至於電子電機業則三十餘年來一直呈現相當一致的穩定成長趨勢，也是我國所有製造業中成長最快的產業，這當然與政府將其列爲策略性工業並積極推動有密切關係，目前電子電機業產值仍高佔所有產業的15.6％（表3-8），其中電子產品現更已躍居我國第一大主力出口產品⓲。因此選擇此一興（電子電機）一衰（紡織）的兩項工業，作爲進一步深入調查分析的對象，應是合理而且具代表性的，更何況此二業產值已占製造業總產值的四分之一（25％），兩業的就業數也占總就業數的30％。而且以此二業的出口總值占全國輸出總值的比重來看，兩業的出口比重更已高達37.6％⓳，其重要性不言可喻。

註釋：

❶內政部，<u>台閩地區人口統計</u>,1986，第228－229頁。

❷高銛等譯，丹尼爾‧貝爾原着，<u>後工業社會的來臨－－對社會預測的一項探索</u>，台北：桂冠
圖書公司，1989，第136頁。

❸施敏雄、李庸三，「台灣工業發展方向與結構轉變」，<u>自由中國之工業</u>，46（2）：2－20（1
976）。

❹依據<u>Taiwan Statistical Data Book</u>, Council for Economic Planning and Development,
R.O.C. 1988, p.85.

❺同本章註❸，或李庸三，「台灣之工業建設及當前發展問題」，<u>產業金融季刊</u>，25：1－19
（1979）。

❻這是一種較爲精細的產業研究法，參閱第一章註❺❻，國內的研究也常使用此法，例如本章註
❸，或見李蕙楓，「台灣地區工業化轉型之分析」，<u>地學彙刊</u>，5：83－90（1986）。

❼同本章註❸施敏雄、李庸三著，第4－5頁。依據Hoffmann的理論，工業化過程可以分成四個
階段，隨著工業化的進展，資本財工業的比重會逐漸提高，霍夫曼比率即指消費財和資本財
工業產值之比值。

❽孫義崇，<u>台灣地區區域空間結構與國家之區域政策－一個初步的社會學分析</u>，台大土木工程
學研究所碩士論文，1987，第18頁。

❾許松根，「工業用地取得自由化」，<u>行政院經革會報告書，經濟行政篇</u>，1986，第215－230
頁。

❿例如當時行政院經設會所研擬的「台灣地區綜合開發計劃」三稿，就已明確提出工業區位方
向和工業發展在區域間合理分布之策略，參閱經設會都市規劃處，「台灣地區綜合開發計
劃」三稿，1977，第6－1頁；而在同書二稿中，也曾提出人口與產業向中部地區移動之策
略。

⓫同本章註❽，第73頁。

⓬國際加工基地一詞係直接引自谷浦孝雄，<u>台灣の工業化－－國際加工基地の形成</u>，ヤジヤ經

濟研究所，1988，第273頁。

⓭同註❸第19頁。

⓮黃智輝，<u>台灣工業發展策略與貿易型態之轉變</u>，台灣研究叢刊第120種，台北：台銀經濟研究
室，1984，第47－48頁。

⓯Richard　Barrett原著，馬康莊摘譯，「依賴理論與出口導向的工業化」，<u>中央</u>，21（1）
：94－98（1988）。

⓰齊若蘭譯，「桃太郎竄升國際舞台主角」，<u>天下雜誌</u>，90：97（1988）。

⓱見第二章註❹，第111頁。

⓲工業技術研究院電子工業研究所，「77年我國電子工業發展」，<u>工程</u>，62（7）：40（1989）
。

⓳經濟部國際貿易局編印，中華民國七十七年對外貿易發展概況，第16頁，78年版。

第四章　工業發展的空間變遷和調查樣本特性

4-1　工業發展的空間分布變遷和分布形態

　　許多的研究結果都顯示：在經濟成長過程中，工業有從高度集中於都市而逐漸分散分布之趨勢❶。台灣地區似乎也不例外，其工業分布也有從原來高度集中於台北地區，而逐漸向外圍地區以及中南部地區分散移動的現象❷。本章的目的就是透過區域經濟分析中常用的幾個指標，來探討工業發展的空間變遷過程，藉以闡明工業發展的區域差異和特性。此外，本文也特別就紡織與電子二業作較詳盡的說明，因爲此二業的調查樣本是後幾章分析的重點，至於選擇此二業的理由和樣本特性，也都是本章討論的重點和主要旨趣所在。

　　以工業分布的變遷情形來看（表4-1），國內20年來（1966－1986）工廠由28,771家增爲118,755家，實際增加了89,984家，平均工廠成長率達313％，顯然是各縣市工業成長所致。按各縣市的絕對成長數來看，以台北縣增加數最多，增加了20,651家；其次是台中縣，增加亦達13,274家，彰化縣也增加9,561家，台北市則增加8,103家，這是增加最多的四個縣市。至於以工業員工數的增加來看，則以台北縣、桃園縣、台中縣、彰化縣和台南縣等成長最快。爲明瞭各縣市工業和就業成長情形，乃依表4-1資料繪成圖4-1－2，可知以上各縣市的成長率均遠高於全台灣之平均成長率，而且就業成長高過此數者更達十縣市之多，充分顯示本省的工業規模的擴充相當迅速。由圖亦可得知北部地區的台北縣、桃園縣，中部地區的台中縣市、彰化縣，南部地區的台南縣市和高雄縣等八縣市，爲20年來工

表4-1 台灣地區各縣市工業分布變遷和工業、就業成長率（1966－1986）

縣市	55年(1966) 工廠數	%	順位	員工數	%	75年(1986) 順位	工廠數	%	順位	員工數	%	絕對 順位	工廠數	%	員工數	%	成長率(%) 工廠數	員工數
台北市	2,739	9.5	2	79,749	13.7	2	10,842	9.1	4	211,292	7.7	4	8,103	9.0	131,543	6.1	295.8	164.9
基隆市	351	1.2	20	13,900	2.4	14	814	0.7	19	21,888	0.8	18	462	0.5	7,988	0.4	131.6	57.5
台北縣	3,254	11.3	1	117,439	20.1	1	23,905	20.1	1	539,176	19.8	1	20,651	23.0	421,737	19.7	634.6	359.1
宜蘭縣	865	3.0	17	11,030	2.0	16	1,620	1.4	17	52,749	1.9	14	755	0.8	41,719	1.9	87.3	378.2
桃園縣	1,322	4.6	10	27,882	4.8	6	7,379	6.2	5	319,973	11.7	2	6,057	6.7	292,091	13.6	458.2	1,047.6
新竹縣	1,337	4.7	9	26,785	4.6	9	5,364	4.5	9	137,830	5.1	8	4,027	4.5	111,045	5.2	301.2	414.6
苗栗縣	1,235	4.3	12	18,808	3.2	11	3,039	2.6	13	90,178	3.3	11	1,804	2.0	71,370	3.3	146.1	379.5
台中縣	1,608	5.6	7	22,920	3.9	10	7,120	6.0	6	100,034	3.7	10	5,512	6.1	77,114	3.6	342.8	336.5
台中市	1,794	6.2	4	41,833	7.2	4	15,068	12.7	2	278,186	10.2	3	13,274	14.8	236,353	11.0	739.9	565.0
彰化縣	2,681	9.3	3	39,360	6.7	5	12,242	10.3	3	195,381	7.2	5	9,561	10.6	156,021	7.3	356.6	396.4
南投縣	945	3.3	16	7,995	1.4	18	1,988	1.7	16	44,911	1.7	17	1,043	1.2	36,916	1.7	110.4	461.7
雲林縣	1,205	4.2	13	13,080	2.2	15	2,194	1.9	14	50,132	1.8	16	989	1.1	37,052	1.7	82.1	283.3
嘉義縣	1,521	5.3	8	17,841	3.1	12	3,562	3.0	11	64,677	2.4	13	2,041	2.3	46,836	2.2	134.2	262.5
台南縣	1,631	5.7	6	27,832	4.8	7	6,093	5.1	8	168,513	6.2	7	4,462	5.0	140,681	6.6	273.6	505.5
台南市	1,667	5.8	5	27,169	4.7	8	6,592	5.6	7	84,219	3.1	12	4,925	5.5	57,050	2.7	295.4	210.0
屏東縣	1,114	3.9	15	10,102	1.7	17	2,136	1.8	15	50,741	1.9	15	1,022	1.1	40,639	1.9	91.7	402.3
花蓮縣	464	1.6	18	5,211	0.9	19	929	0.8	18	13,735	0.5	19	465	0.5	8,524	0.4	100.2	163.6
澎湖縣	136	0.5	21	742	0.1	21	230	0.2	21	1,217	0.1	21	94	0.1	475	0.0	69.1	64.0
台東縣	437	1.5	19	4,078	0.7	20	446	0.4	20	4,349	0.2	20	9	0.0	271	0.0	2.1	6.7
高雄縣	1,146	4.0	14	14,833	2.5	13	3,736	3.2	10	116,503	4.3	9	2,590	2.9	101,670	4.7	226.0	685.4
高雄市	1,319	4.6	11	55,364	9.5	3	3,456	2.9	12	183,862	6.7	6	2,137	2.4	128,498	6.0	162.0	232.1
台灣地區	28,771	100	—	583,953	100	—	118,755	100	—	2,729,546	100	—	89,984	100	2,145,593	100	312.8	367.4

資料來源：中華民國55年、75年「台閩地區工商普查報告」整理計算而得。

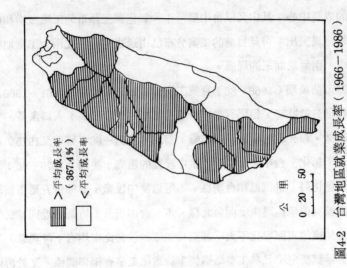

圖4-2 台灣地區就業成長率（1966－1986）

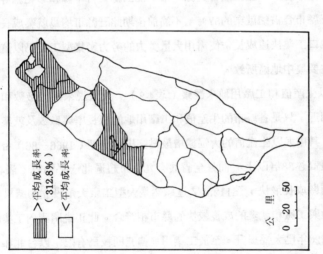

圖4-1 台灣地區工業成長率（1966－1986）

業發展最快的成長中心，其中又以台中縣、市、彰化縣三縣市的工廠激增和桃園縣的規模大增最爲突出。可見目前的工業分布已由過去的南、北兩大工業地帶，演變成北、中、南鼎足而三的局面。

再以各縣市前後期（1966－86）實質工廠分布觀之，前期（1961－1966）全省工廠分布雖呈分散狀態，但仍有集中於若干都市化程度已高、人口衆多、工廠密集縣市之趨勢。賴光政的研究就指出❸：前期（1961－66，延伸至1975）新增工廠有向台北、彰化、台中、台南等縣集中設置的趨向；後期（1976－86）則傾向於台中縣、彰化縣、桃園縣和台南縣、市等地集中設廠，亦即這五縣市新設工廠的增加速率較其他地區爲快；而台北縣、市，台中市及新竹縣等地則呈緩慢增加的趨勢；至於高雄市則變化不大，甚至其工廠和就業比率均有下降現象，這應與其工業基礎早就奠定，且其工業結構側重於重化工業有密切關係。至於再以就業員工數的分布來看，一直是以台北縣、市，桃園縣、台中縣和彰化縣等地區爲核心，目前五縣市合占總就業的57％；不論前後期此五縣市均爲就業成長中心，這顯然是因出口工業快速成長，使需用大量勞力的勞力密集型工業仍以這五地的都市附近爲主要集中地區所致。

進一步以生產值和工廠用地來觀察（表4-2），大致説來與工廠數和員工數的分析結果相近，只是各縣市的生產值和工廠用地的成長率與廠數及就業數的成長略有不同。其中尤以生產值的大幅擴增最爲突出，全期（1966－86）台灣工業生產總值成長高達38倍以上，而且全省共有九縣市超過此一平均數（表4-2），其中又以台南縣成長最快，達112倍，這顯然是大型工廠大量設立的結果。而其他八縣市大致與工廠和就業的成長較快的縣市相符合。此正説明國內工業的生產能力在過去的20年已大幅提升。至於工業用地擴充則較爲有限，以台北和台南兩市較突出，而桃園、台中縣市及彰化縣亦有顯著成長。綜觀此二指標的排列順位，不論前後期，最爲突顯的非高雄市莫屬，其成長率雖不若台北縣市、桃園及台中、彰化等五個成長中心，但其生產值和工廠用地在1966和1986前後兩期的順位均列前茅，充分顯示高雄市的工業結構集中偏重於重化工業的特徵。其工廠數

表4-2 台灣地區各縣市工業生產值和工廠用地成長率（1966－1986）

生產值單位：NT$1,000
工廠用地面積單位：M²

年度 縣市	55年（1966）						75年（1986）						絕對成長		成長率（％）	
	生產值	%	順位	工廠用地面積	%	順位	生產總值	%	順位	工廠用地面積	%	順位	生產值	工廠用地	生產值	工廠用地
台北市	42,689,672	50.2	1	3,897,712	6.6	4	1,190,616,983	35.5	1	86,411,518	33.0	1	1,147,927,311	82,513,806	2,689.0	2,116.9
基隆市	726,595	0.9	17	786,075	1.3	18	10,221,353	0.3	18	465,971	0.2	19	9,494,758	-320,104	1,306.7	-4.1
台北縣	6,97,554	8.2	3	7,352,895	12.4	2	415,649,438	12.4	2	12,518,165	4.8	4	408,711,884	5,165,270	5,891.3	70.2
宜蘭市	1,125,064	1.3	15	2,655,422	4.5	9	26,462,891	0.8	9	2,049,200	0.8	17	25,327,827	-606,222	2,251.2	-22.8
桃園縣	3,100,748	3.6	6	2,526,446	4.3	10	218,125,436	6.5	5	10,537,178	4.0	5	215,024,688	8,010,732	6,934.6	317.1
新竹縣	1,755,408	2.1	9	2,229,530	3.8	11	77,147,100	2.3	11	3,990,778	1.5	10	75,391,692	1,761,248	4,294.8	79.0
苗栗縣	974,185	1.1	16	2,095,315	3.5	14	55,800,852	1.7	12	3,371,436	1.3	13	54,826,667	1,276,121	5,627.9	60.9
台中市	1,821,107	2.1	8	1,104,236	1.9	16	96,137,175	2.9	9	3,833,750	1.5	11	94,316,068	2,729,514	5,179.1	247.2
台中縣	4,113,718	4.8	4	3,644,950	6.1	5	267,257,330	8.0	5	9,278,393	3.5	7	263,143,612	5,633,443	6,396.7	154.6
彰化縣	3,717,275	4.4	5	3,523,215	5.9	6	184,718,516	5.5	6	9,216,181	3.5	8	181,001,241	5,692,996	4,869.2	161.6
南投縣	705,271	0.8	18	913,343	1.5	18	27,259,056	0.8	17	1,979,192	0.8	16	26,553,785	1,065,849	3,765.0	116.7
雲林縣	1,200,228	1.4	13	2,211,901	3.7	13	38,375,854	1.1	13	3,012,761	1.2	14	37,175,626	800,860	3,097.4	36.2
嘉義縣	1,330,044	1.6	12	2,906,712	4.9	8	49,158,248	1.5	8	3,744,992	1.4	13	47,828,204	838,280	3,596.0	28.8
台南縣	1,498,563	1.8	10	5,826,418	9.8	3	169,678,921	5.1	3	9,973,692	3.8	7	168,180,358	4,147,274	11,222.7	71.2
台南市	2,526,574	3.0	7	2,226,913	3.8	12	95,234,249	2.8	12	74,351,943	28.4	2	92,707,675	72,125,030	3,669.3	3,238.8
屏東縣	1,180,895	1.4	14	1,784,488	3.0	15	35,741,295	1.1	15	2,216,424	0.8	15	34,560,400	431,936	2,926.6	24.2
花蓮縣	522,831	0.6	19	786,756	1.3	19	5,063,879	0.2	19	1,351,365	0.5	19	4,541,048	564,609	868.5	71.8
澎湖縣	58,198	0.1	21	40,343	0.1	21	383,235	0.01	21	108,045	0.04	21	325,037	67,702	558.5	167.8
台東縣	299,049	0.4	20	673,424	1.1	20	1,739,988	0.1	20	439,632	0.2	20	1,440,939	-233,792	481.8	-34.7
高雄縣	1,444,888	1.7	11	3,386,085	5.7	11	116,190,012	3.5	7	7,187,681	2.8	8	114,745,124	3,801,596	7,941.5	112.3
高雄市	7,357,285	8.6	2	8,755,127	14.8	2	274,668,575	8.2	1	15,445,121	5.9	3	267,211,290	6,689,994	3,631.9	76.4
台灣地區	85,085,152	100	--	59,327,306	100	--	3,355,520,386	100	--	261,485,417	100	--	3,270,435,234	202,168,111	3,843.7	340.8

資料來源：同表4-1

67

雖不多，使用員工也非最多，但工業產值和用地所占比例却很高。

　　綜合上述有關工廠設置、就業成長、生產值和工廠用地的成長分析可知：早期台灣地區即已形成以台北、高雄兩大都市爲中心的南北兩個工業聚集地帶，也隨著都市化的拉力作用使工廠更向都市地區群集設廠；其後都市化的拉力作用漸顯，工廠分布乃由向心（都市中心）發展而漸呈離心狀態，擴散現象相當顯著。尤其中部地區在七十年（1981）前後的工廠與就業員工激增，已與南北二帶成鼎足之勢；到如今，全省的工業分布，基本上仍以台北、新竹、台中、台南和高雄等五個都會區爲中心，逐漸向外圍地區擴散，而形成目前台灣地區的七大工業聚集地帶。

　　爲確切掌握工業分布狀態，下面再以工廠數和各市鄉鎮區的過剩員工數❹爲指標，並參照相關研究，在圖上圈繪出現階段工業發展的主要和次要集中地帶，由圖4-3所示，主要和次要工業帶清晰可辨，其中七大主要工業地帶大致與過剩員工超過5,000人以上的市鄉鎮區相吻合，而且過剩員工愈多的單位，其分布的位置愈集中在都市中心或其外圍，特別是在台北、桃園、新竹、台中、彰化、台南和高雄等地，而且均沿著省道延伸，至於過剩員工低於5,000人的市鄉鎮區則均環拱圍繞於西部平原的七大聚集地帶的外圍地區，以及東部的蘭陽平原和花東縱谷，而且計算歷年的該項指標，也可發現台灣工業由分散而集中，再由集中轉趨分散的演變過程。以下即按各工業聚集帶所涵蓋的範圍略作說明（圖4-3）：

　　㈠台北工業地帶：以台北市和台北縣爲中心，其範圍包括台北市16區及汐止、七堵、淡水、新店、三重、新莊、永和、中和、土城、樹林、蘆州、五股、泰山、三峽及鶯歌等31個市鄉鎮區。

　　㈡桃園工業地帶：幾乎與上一帶緊密連結，與縱貫線的延伸路線相符，包括桃園市、龜山、大園、中壢、八德、平鎮、大溪及楊梅等8個市鄉鎮。

　　㈢竹苗工業地帶：接續上一帶，沿海線鐵路兩側分布，包括新竹縣的新竹市、湖口、新豐、竹北、竹東、芎林和香山鄉，以及苗栗縣的頭份、竹南、苗栗市及公館鄉等11市鄉鎮區。此三帶合占北部所有工廠的95％，而且受交通線

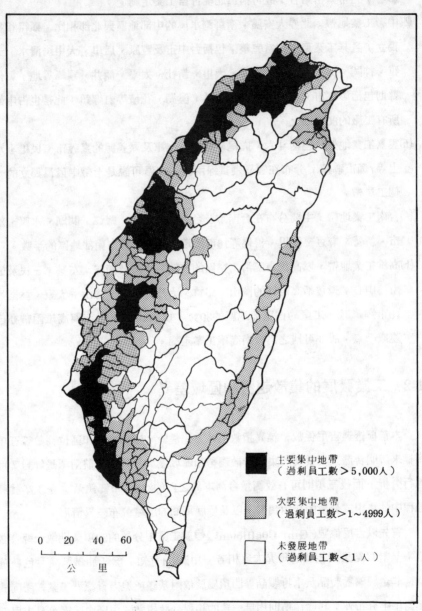

圖4-3　台灣地區主要工業聚集地帶

影響，三帶緊密結合，故可稱爲北桃竹苗工業走廊。

㈣中彰工業地帶：北界大安溪，南鄰濁水溪的中部地區與北部相比，顯得相當獨立，且其工業聚集相當完整，包括台中市及豐原、后里、大甲、清水、大雅、神岡、潭子、烏日、沙鹿、大里、新社、太平、龍井、霧峰等地；彰化縣則包括彰化市、和美、鹿港、員林、溪湖、花壇等21鄉鎮，此帶也占中部所有工廠的80％以上。

㈤雲嘉工業地帶：包括斗六、虎尾、斗南、土庫及嘉義縣的嘉義市、民雄、水上等7個市鄉鎮，分布在雲嘉縱貫線兩側。本區可説是七帶中最爲獨立的一個工業帶。

㈥台南工業地帶：主要分布在台南市及台南縣的仁德、歸仁、關廟、永康、新市、新營、麻豆、佳里、善化等16市鄉鎮，其工廠約占南部地區的半數。

㈦高雄工業地帶：以高雄市臨海工業區的前鎮、小港及楠梓、左營、三民及鼓山爲中心，還包括高雄縣的岡山、路竹、大社、仁武、鳳山、大寮、林園等13市鄉鎮區，工廠約占南部地區的30％。由圖4-3可知台南與高雄兩帶亦已連成一氣，故亦可稱之爲台南高雄工業走廊。

4-2 工業發展的集散趨勢和區域差異

本節擬透過吉尼係數、雜異指數、地方化係數、吉馬指數和區位商數等五項指標來辨明台灣工業發展的集中分散趨勢和區域差異。其中的前兩項是針對業別進行分析；而後三項則可有效衡量台灣本島之內的352個市鄉鎮區，在工業發展過程中的集中或分散的相對趨勢，以及發展期間的區域分布差異情形。

首先以吉尼係數（ Gini Coefficient ）❺就工業中分類的20項業別做一綜合觀察，其計算結果與相關的研究大致相若，由圖4-4可知，除了油煤製品、飲料菸草、非金屬礦物製品及木竹製品等四項屬於依附基礎或地方資源型工業較趨向於相對集中分布外，其餘16項則均呈一致的相對分散趨勢。由圖中明顯可見吉尼係

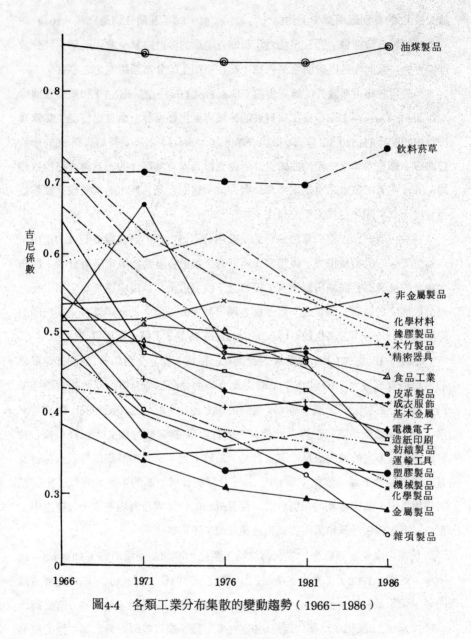

圖4-4 各類工業分布集散的變動趨勢（1966－1986）

數大於0.5的業別逐期減少，1966、71、76、81、86年五期分別是13種、10種、8種、6種和5種業別❻，而且自1971年起即有明顯的分散跡象，愈到近期，其分散速度更快，凡此均足以證明台灣各種工業在空間上的分布漸趨均勻之事實。

另外再以駱吉斯設計的雜異指數（Index of Diversification）和羅倫茲曲線（Lorenz Curves）來觀察工業發展的區域專業化程度❼，結果也發現工業雜異指數由1966年的1520.5，降為1986年的1466.0（表4-3）；將表轉繪成圖4-5的羅倫茲曲線，顯見75年比55年的曲線更接近絕對雜異線，其蘊含的意義與吉尼指數相同，亦即本省工業愈來愈趨向雜異化與分散，這對台灣各縣市的工業成長漸趨均衡發展而言，顯然有其正面的作用。

其次再看按地理空間單位來分的集散趨勢，鍾懿萍的研究❽曾明確的指出：工業空間分布的衡量指標，以市鄉鎮區計算之集散程度高於縣市所衡量者；縣市之集散程度又高於區域所表示者。換言之，區域愈大，其集中趨勢愈明顯，反之則分散程度愈顯著。爲更進一步了解表現最高集散程度之各市鄉鎮區，其空間演變的真象，乃引用吉馬指數（Gibbs－Martin Index）❾，結果發現：

前期（1966－71）工業發展的變遷方向相當一致，全台共有134個行政單位的吉馬指數值增大（圖4-6），這說明此一時期台灣工業分布趨向於相對集中，到中期此一趨勢仍然逐漸增強；可是到後期（1976－81，延伸至1986）則情勢丕變，吉馬指數變遷方向逆轉，此值減少的行政單位多達209個，尤以都市核心及其外圍地區方向的轉變最爲顯著，台北、新竹、台中、台南及高雄等五大都會及其近郊地區幾乎無一倖免（圖4-7）。充分證明台灣地區的工業分布確已由前期的相對集中，趨向後期的相對分散，而且分散的幅度與步調均在擴大加速之中。至於地方化係數計算結果與吉馬指數相類似，不再贅述。

最後再以區位商數來檢視台灣地區工業化水準的演變情形❿，如圖4-8—10所示，前期（1966）工業化水準超過1的單位只有74個（圖4-8），以台北都會區的集中現象最明顯。到1976年顯然已是工業發展的巔峰期（圖4-9），區位商數大於1的高度工業化水準單位高達269個之多，幾乎籠罩整個台灣西部平原的精華

表4-3　55和75年台灣地區工業雜異指數（1966及1986）

年度	民國55年（1966）				年度	民國75年（1986）			
順序	員工人數	（代號）	%	累加%	順序	員工人數	（代號）	%	累加%
1	236,828	（1）	20.6	20.6	1	905,736	（17）	16.5	16.5
2	189,899	（3）	16.5	37.1	2	644,738	（12）	11.8	28.3
3	90,128	（13）	7.8	44.9	3	579,882	（3）	10.6	38.9
4	74,128	（5）	6.4	51.3	4	490,705	（15）	9.0	47.9
5	64,428	（16）	5.6	56.9	5	321,282	（20）	5.9	53.8
6	64,345	（17）	5.6	62.5	6	302,010	（4）	5.5	59.3
7	61,180	（6）	5.3	67.8	7	274,592	（18）	5.0	64.3
8	61,078	（18）	5.3	73.1	8	268,987	（6）	4.9	69.2
9	55,958	（9）	4.9	78.0	9	252,901	（1）	4.6	73.8
10	46,838	（15）	4.1	82.1	10	241,283	（16）	4.4	78.2
11	36,712	（12）	3.2	85.3	11	224,951	（7）	4.1	82.3
12	31,591	（14）	2.8	88.1	12	224,016	（13）	4.1	86.4
13	29,204	（4）	2.5	90.6	13	165,177	（14）	3.0	89.4
14	23,760	（20）	2.1	92.7	14	119,232	（8）	2.2	91.6
15	23,559	（2）	2.1	94.8	15	118,464	（11）	2.2	93.8
16	23,434	（8）	2.0	96.8	16	115,896	（5）	2.1	95.9
17	19,557	（11）	1.7	98.5	17	101,306	（9）	1.8	97.7
18	12,373	（10）	1.1	99.6	18	75,481	（19）	1.4	99.1
19	2,556	（19）	0.2	99.8	19	26,619	（2）	0.5	99.6
20	2,324	（7）	0.2	100.0	20	21,194	（10）	0.4	100.0
累加 % 總 和 （ 雜 異 指 數 ）				1,520.5	累加 % 總 和 （ 雜 異 指 數 ）				1,466.0

資料來源：民國55及75年台閩地區工商普查報告。
　　　註：業別的代號同表3-8。

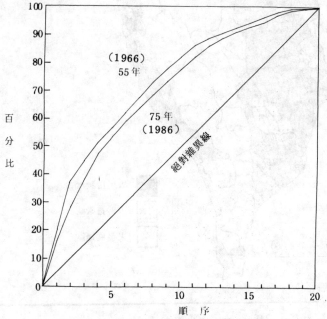

圖4-5　1966和1986台灣工業羅倫茲曲線

73

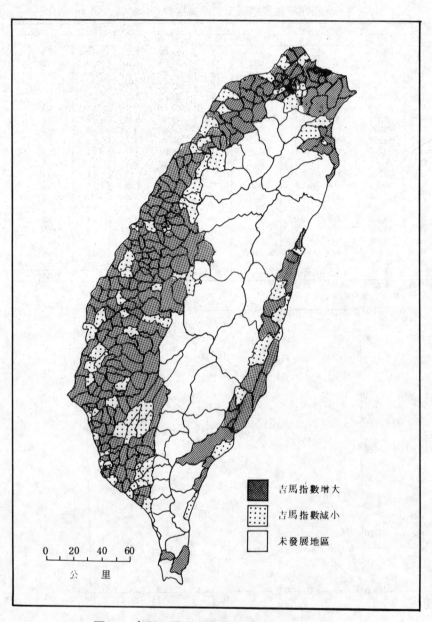

圖4-6　台灣工業吉馬指數的變遷（ 1966－1971 ）

74

圖例：

吉馬指數增大

吉馬指數減小

未發展地區

0　20　40　60
公　　里

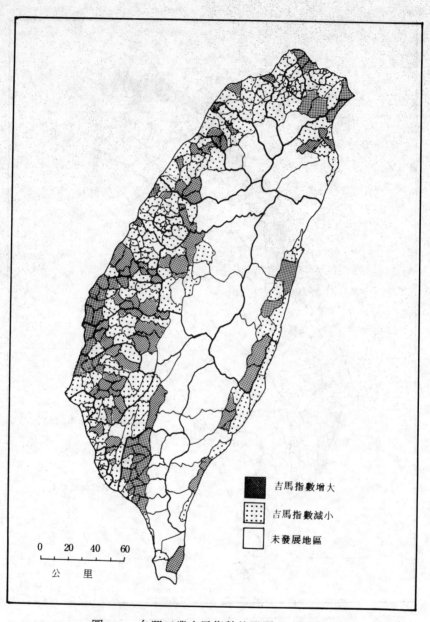

圖4-7　台灣工業吉馬指數的變遷（1976－1981）

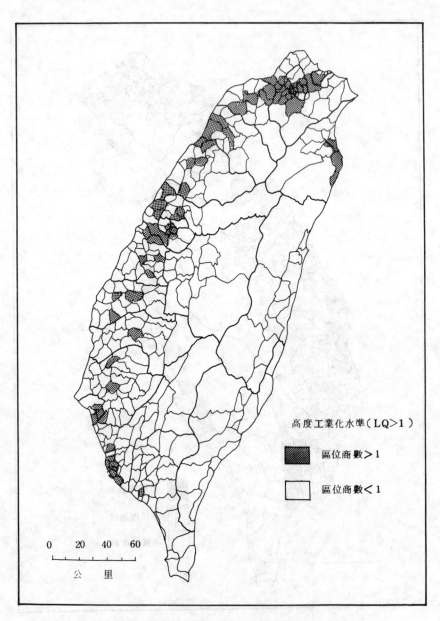

高度工業化水準（LQ＞1）

區位商數＞1

區位商數＜1

圖4-8　台灣地區工業化水準（1966）

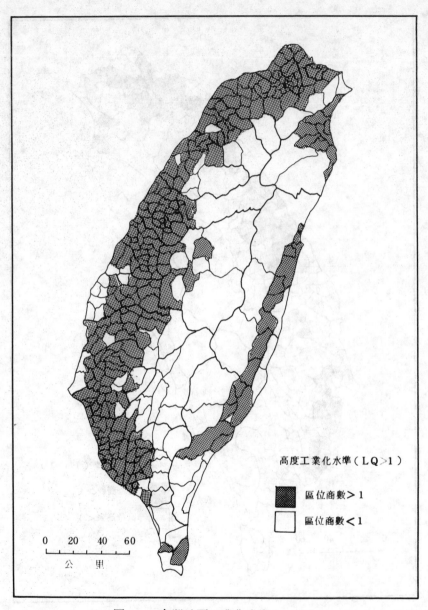

高度工業化水準（LQ＞1）

■ 區位商數＞1
□ 區位商數＜1

0　20　40　60
公　里

圖4-9　台灣地區工業化水準（1976）

77

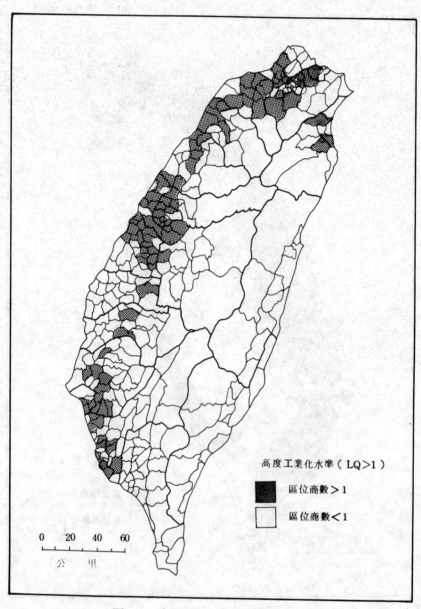

高度工業化水準（LQ＞1）

■ 區位商數＞1

□ 區位商數＜1

0　20　40　60

公　里

圖4-10　台灣地區工業化水準（1981）

78

地帶，還包括蘭陽平原和台東縱谷地帶；而到近期（1981）則減少爲只剩102個單位，小於1的單位反而多達250餘個（圖4-10），高度工業化水準的單位持續減少再度反映台灣工業分散化發展的具體事實。

檢討台灣工業分布由前期相對集中，轉變爲後期的相對分散；亦即其發展過程中有顯著的階段性差異和空間重組現象，分析其成因大致可分三點來討論：

1. 由於過去都市化進展速度太快，原先並未嚴格執行都市土地使用分區管制（Zoning），隨都市化進展至後期已嚴格執行。換言之，由於都市計畫之變更，原來存在於不合分區管制的舊有工廠乃紛紛外遷，或改爲住宅或商業利用，以謀更高經濟利益。再者，農業等則變更爲工業設廠的條件也愈來愈苛刻，例如目前就嚴格執行8等則以內不准變更；8－12等則有條件准許，12等則以上則均准予設立。同時今天甚至已嚴格要求只能在工業區內設廠才能取得工廠合法登記，此一措施使過去廠商認爲並不具區位利益的都市郊區之工業區（即屬於都市計畫區的工業區），一時變得搶手起來，廠商紛紛遷入，結果使工業迅速向都會區週緣及外圍鄉鎮地區擴散。

2. 前期相對集中受工業生產方式的空間連結影響很大。因爲早期從農村外溢的大量人口多數被快速伸展的工業部門所吸收。而且隨着都市極化現象的擴大，關聯工業的空間聚集和分工益見緊密，乘數效應（Multiplier effects）更加擴大，工業更形集中。至於後期的相對分散則與政府的鄉村工業化之政策導向（例如前述鄉村工業區的設立和一些相應措施的配合）和企業家針對比較利益的考慮而進行工業區位選擇有密切關係。畢竟便捷的運輸系統規劃和鄉村地區基本設施投入和電力供應，再加上鄉村人力資源的教育訓練普及等。凡此均使早期集中型的工業化能將工業成長效果，由都市中心逐漸傳布到小市鎮及其周圍⓫。至於後期工業區的大量開發更是使工業散布到全省各縣市鄉村地帶的重要原因⓬。

3. 後期工業發展的相對分散趨勢則是都市化不經濟（Diseconomics)有以致之。誠如前述，都市的工業聚集有其經濟利益，而且隨着生產區位的集中和

生產體系的形成，整個空間經濟益臻強化與穩固。但當都市擴張到一定程度時，必會產生各種程度的聚集不經濟⓭，例如廠地難覓、地價昂貴、交通擁塞、住宅擁擠、工資水準與稅收太高，以及政府對工業污染的全面管制等。結果使廠商因考慮外部連鎖的合理化，而選址或遷廠至都市外圍或鄉村地區。如圖4-7所示，台灣地區各大都會似乎也都無可避免的產生工業分散化的現象。可以預見的，隨着交通、通訊技術與設備之改善，這種分散化趨勢和速度將加強也同時加快，這就台灣空間經濟的均衡發展而言，似乎有其正面的意義。

4-3 紡織、電子工業的發展過程

大體而言，我國工業發展策略是先內向而後外向，至於工業體制的演變，則一如前述的，基本上是先輕後重、先勞力後技術資本密集之演進過程。而在此一演進過程中最具代表性的工業厥爲紡織與電子二業，因此本節擬就此二業的時空間演變情形，以及調查所獲的樣本進行基本統計分析，藉以了解此二業目前的發展狀況及其特色。

1.紡織工業發展的時空間過程

紡織業是台灣出口導向型工業化發展過程中最具代表性的產業，因爲它從大部分進口，進而進口替代，終至於出口擴張而成爲我國第一大出口工業⓮，此一演變過程也正是台灣工業化過程的縮影。紡織業的快速發展，不但充裕了物資供應、提供就業機會、節省外匯，也拓展了對外貿易，並促進工業朝向多面化發展，其對吾國經濟發展貢獻至大。也可證明當時選紡織業爲領導產業是一正確而高明的抉擇⓯。然而隨著經濟快速成長，國內社會經濟結構變化甚劇，工資水準持續上升，原先最具比較利益的紡織業大受影響；加之世界貿易保護主義抬頭，對紡織品不斷設限；而其他發展中國家挾其廉價勞力與我國產品展開激烈競爭，凡此均構成不利影響，甚至已失其領導地位，正走向衰退途中。本文也以此業爲

調查對象，爰就其發展歷程略作回顧，同時也依歷年工商普查資料，檢視其空間分布的變化情形：

在二次大戰以前，日本並無意在台發展紡織工業，而只是把台灣當做其本土紡織業的市場⓰。因之彼時紡織業未興，產品均賴日本進口補充。二次戰後，台灣紡織工業發展大致可分四階段：第一階段可稱復建階段（民34-39年），因受戰爭影響，百廢待舉，首重復建。到末期大陸遷台工廠如豫豐、大秦、申一、雍興等陸續鳩工設廠，本省紡織業乃漸具雛形；第二階段指民國40至47年之進口替代期，政府有鑒於國內需求量大，乃擬定方針，運用美援輸入原棉，並積極鼓勵投資建廠，此後紡織業高速成長，民國42年產量已足供國內所需，翌年即開始外銷，本階段可說是紡織業的基礎奠定期；第三階段為48年至61年的出口擴張期，發展重點在於尋求國外市場以支持紡織業的持續成長，於是在政府鼓勵業者更新設備、改善品質、極力拓展外銷市場下，紡織品出口持續增加。1961年雖曾遭逢國際市場不景氣和人纖產品興起的衝擊而中挫⓱，幸賴政府及時謀取對策，頒布解困及促銷方案才扭轉了危機。於是外銷轉旺，市場需求強勁，廠商大量擴充生產設備，惟對人員培訓、技術提昇、管理變革等工作較少注意，加以大量小廠一窩蜂跟進，形成惡性競爭。尤有甚着，許多工廠甚至還發生亂用配額情事，有些廠商更利用半專業配額權從中牟利，促使下游承包商不得不殺價以求生存，此亦為迅速擴張所帶來的隱憂。最後第四階段是62年迄今的技術密集時期，亦可稱為低成長期。由於62及69年兩次石油危機均引起國際性不景氣，均曾使紡織品滯銷，設備利用率下降。可是每次經歷衝擊之後，不久均能脫離困境，整個紡織行業又能繼續成長。整體來看，由於受國際景氣需求衰退減少，而先進國家又擴大對我紡織品進口配額限制之項目，加以國內工資上漲，均使此期成長率逐漸下降。而從幾項指標也均顯示：紡織業在產業結構中所占的重要性，有逐年降低的趨勢，因而其將失去領導部門之地位似可預見（見表3-8）。

雖然我國現階段紡織生產機械與技術已漸提升，例如紡紗廠開始使用空氣精紡機，織布方面也普遍採用無梭織布機，即使是彰化和美、伸港、線西地區的傳

統工廠亦已大幅更新；染整印花廠商也都改用自動設備。然而揆之整體發展，我們的紡織品質與品級之提升步調仍嫌遲緩，其根本作法仍然在於提高產品的單位和附加價值。畢竟中、低級產品終將喪失比較利益，唯有高級產品方能參與世界性的市場競爭[18]，而欲達產品高級化目的，就有賴如何將「勞力密集」改變爲「腦力密集」和「知識密集」[19]，否則將遭國際市場淘汰，而真正淪入「夕陽工業」的困境。

至於各縣市的紡織業發展，目前以台北、桃園、彰化、台中四縣最爲重要，四縣合計工廠占全台的73％，若加上台南縣，則比重已超過80％，可見其集中程度。爲詳細比較台灣各行政單位紡織工業的重要性，乃藉助區位商數，以測度各市鄉鎮區紡織工業區位分布的空間變化情形。經計算結果發現由1966－1986年，紡織業在早期（1966）的空間分布即以上述五縣爲主要集中地區（圖4-11），尤以台北西郊、桃園及彰化爲著。而其他縣市則呈零星散布狀態；到後期（1986）各集中區明顯向外擴散，北部地區的擴大延伸範圍最廣，甚至已與桃竹苗地區連接成廣泛的帶狀聚集區。至於彰化、雲林、台南和高雄、屏東也已形成五個範圍較小的聚集地帶（圖4-12）。

2.電子工業發展的時空間過程

與紡織業相較，電子業發展時間並不算早。在日據時期我國毫無電子業可言，連收音機也無法裝配。一直到民國37年才開始製作真空管收音機，但尚無專業性工廠。政府爲保護其發展，乃於39年制定法令，將收音機列爲管制進口貨品，電子工廠逐漸設立，惟此時大部分零件均賴進口。此即第一階段的真空管收音機時期（民37－49年）[20]；民國50年起進入第二階段的電晶體收音機與電視機時期（50－60年），由於工資低廉，日、美及其他國家多願提供零件，委託台灣廠家加工後裝配外銷，再加上外資與技術的引進，使台灣順利的與先進工業國家形成國際分工關係。民國51年台視開播，電視工業應運而生，51年美國通用公司來台設廠後，外資即相繼擁入，電子工業益爲蓬勃。由於外銷需求，產品也漸趨多元化，已由一般娛樂消費品擴及兩百餘種產品；第三階段自61年至今，可稱精

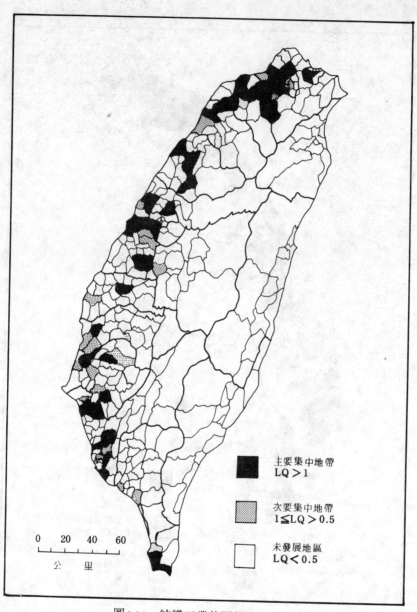

主要集中地帶
LQ＞1

次要集中地帶
1≦LQ＞0.5

未發展地區
LQ＜0.5

0 20 40 60
公　里

圖4-11　紡織工業的區位分布（1966）

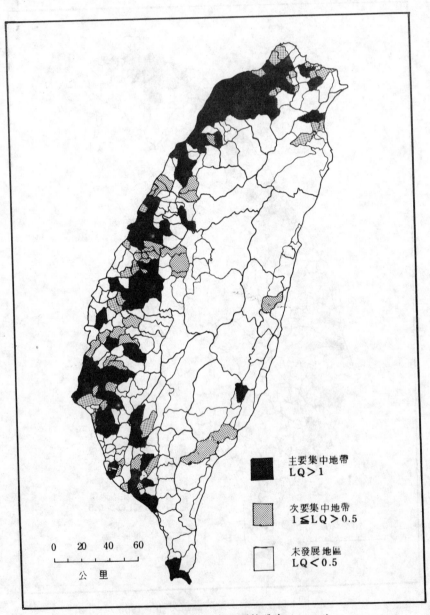

主要集中地帶
LQ > 1

次要集中地帶
1 ≦ LQ > 0.5

未發展地區
LQ < 0.5

0 20 40 60
公 里

圖4-12　紡織工業的區位分布（1986）

84

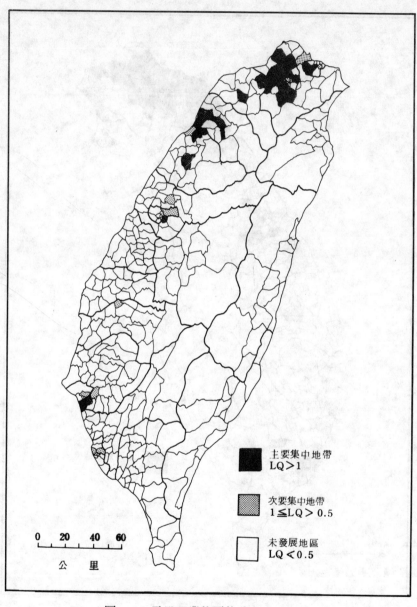

圖4-13　電子工業的區位分布（1966）

主要集中地帶
LQ＞1

次要集中地帶
1≦LQ＞0.5

未發展地區
LQ＜0.5

0　20　40　60
公　里

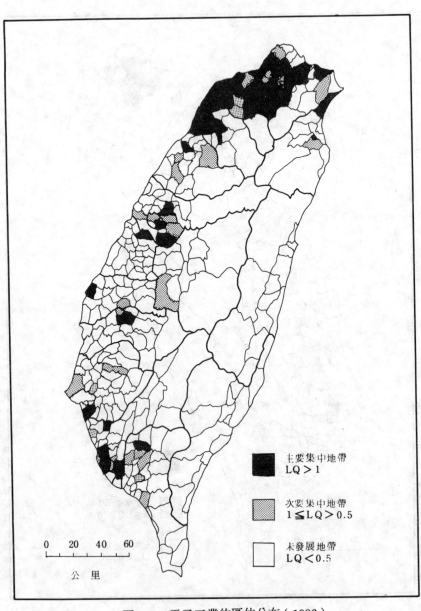

主要集中地帶
LQ > 1

次要集中地帶
1≦LQ > 0.5

未發展地帶
LQ < 0.5

0   20   40   60

公 里

圖4-14　電子工業的區位分布（1986）

密電子產品時期。由於政府將電子業列為策略性工業，近十餘年來電子工業呈高度成長，如電子計算器、電子錶、收錄音機及電視機等外銷量更大幅成長。近年來因受世界市場成長緩慢的影響，致以裝配為主的電子業競爭力減弱，故已朝向更高級的的消費性新產品方向發展。此外，由於電腦之風行，更帶動週邊產業之發展，目前電子產品更已躍居第一大出口產業，凌駕紡織之上。同時資訊電子產品的比重亦超越消費電子、電子零件等項目，其中尤以微電腦、小型電腦、監視器及電腦零組件工業成長最快㉑。

　　至於各縣市電子業的發展情形，若包括電機業，則目前分布以台北縣、桃園縣、台北市、新竹市及台中縣等五縣市最重要，共合占全台工廠的73.3％㉒，其中台北縣獨占36％，若以北部地區四縣市觀之，也已高占65％，可知北區實為台灣地區電子工業發展的重心㉓。其次再以區位商數來觀察全省電子工業發展的區位變化，由圖4-13可知，早期（1966）北部地區即為電子工業的集中地帶，包括台北近郊（北到淡水，南達新店）、桃園、龜山、中壢等地都是早期電子業重鎮；到後期（1986），則已延伸擴及整個北部地區工業地帶，包括台北市的新市區及基隆、汐止，幾乎擴及整個台北縣的衛星市鎮，包括三重、新莊、板橋、中和、土城、新店、樹林、林口、三峽、鶯歌及桃園、龜山、中壢、平鎮、大溪以及沿海的大園、觀音、新屋、楊梅等地，幾乎包括整個桃園台地，再南延至新竹的新豐、湖口、竹北及新竹市；而中南部則以台中市南側和潭子加工區，以及南部台南市南側、高雄市東北側以及電子工業相當發達的高雄與楠梓兩個加工出口區為分布核心（圖4-14）。

　　綜合而言，紡織與電子二業其空間集中的過程頗為一致，只是前者因發展歷史較悠久，故擴散範圍較廣泛而具普遍性；後者則自始即以北區為中心，迄今仍以台北、桃園及新竹和高雄為分布重心。

4-4　紡織與電子工業設廠現況與特性

爲進一步瞭解紡織與電子業目前的發展現況和設廠特性，乃依調查結果列表分析。本研究共獲有效樣本247家（表4－4），其中電子業152家（占61.5％）、紡織業95家（占38.5％），工廠調查的工廠分布以北部和中部地區爲主，乃因實地工廠調查是在台北市、台北縣、新竹市及彰化縣等四地進行所致，總計實察所得有效樣本爲147份，其他各縣市樣本係郵寄回收，共得100份有效樣本（表1－1～3，圖4－15），以下即依此247份有效工廠問卷進行分析：

就設廠時間而言（表4－5），以近期（民國72－78年）設立者居多（31.2％），次爲63－68年（26.3％）。若將兩業分開，則其差異甚爲明顯（表4-6～7）：電子業近期設廠者近四成（38％）；紡織業則以53～62年設廠者居多（占34.7％），63－68年設立者亦達25.3％，二者合計占了60％。此一事實似乎正意味著電子業的景氣狀況以近期最佳，正是外銷暢旺的重要出口工業；紡織業則以前期（53－62年）景氣最佳，63－68年次之，近期隨著紡織業的景氣受挫，其設廠也已逐漸趨緩。

其次就紡織與電子二業廠商有無分工廠看（表4－8），兩業差異不大，有近半數廠商（104家，占42.1％）設有分工廠（或分公司），同時依調查也發現有三成半左右的廠商已轉投資其他行業（共86家，占34.8％，見表4－9），他們介入的其他行業別以轉投資於商業、服務業、營建業及金融業爲主，而不管設分工廠或投入其他行業，其設立家數均以一家居多（92％）。而當問及目前產品與設廠當時產品有無差異或增加時，也有四成經營者答以產品均有擴充或增加，同時其投資規模也都相對擴大，凡此似皆足以反映此二業之廠商相當重視內部經濟和最適生產規模的調整與尋求，以期不斷提高經營效率和獲利率。

再就設廠規模來看，本研究以員工人數和設廠土地面積爲標準（表4－10及4－11），將工廠規模區分爲表4－10中的五個類型❷，顯示國內工業以小型工業居多，已占達75.3％，若加上中型工業，則中小企業的比例已高占94.3％，而大企業僅及5.7％。以電子業和紡織業分別觀之：電子業小型工廠約占66％，中型工廠及大型工廠亦分別占達25.7％和8.6％（表4－12）；而紡織業則小型工廠高

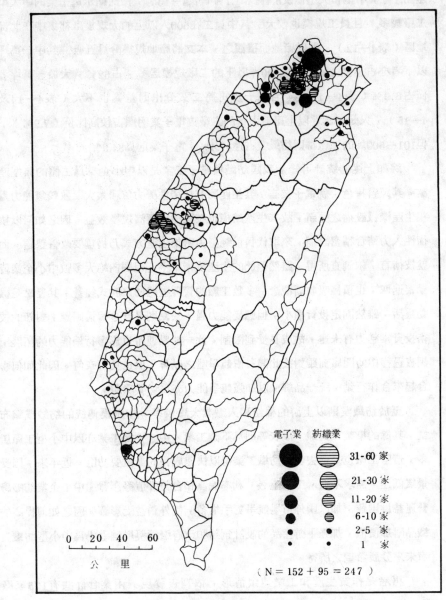

圖4-15　本研究調查樣本的空間分布

達90.1％；中型和大型僅及8.4％和1.1％（表4−13），由此顯示電子業的中大型工廠較多，且員工規模也較大，其中員工在500人以上的大規模廠都集中在北部地區（表4−12）。另以廠地面積觀之，本文將廠地規模分爲五級，其中一萬坪以下者亦占達93.4％，尤以500坪以下的工廠規模居多，占62％，大於一萬坪者僅占6.9％（表4−11）。若進一步再將二業分出則差異也不大（表4−14及4−15），只是一萬坪以上廠地面積的工廠數電子業明顯占較高比例（7.9％），但101−500坪的工廠，則紡織業占達47.4％，電子業則爲34.9％。

綜如上述的統計可知，我國紡織與電子工業是以中小企業爲主體的典型產業。其經營特色，就電子業言，其生產對非技術性勞力依賴太大，致較無能力重視生產機械設備之更新，故其生產結構也較難達成經濟規模效益。因之如何以技術性人力結合精密設備，來取代目前純勞力密集生產方式乃爲重要改善課題。而就技術言，依調查所得，雖然他們的生產技術平平，但國內絕大多數中小企業皆勤奮進取，也積極吸收新觀念，多數工廠的管理型態屬家族式經營，其優點是機動靈活，雖然固定投資額小，但應變能力強；缺點則是資金籌措困難，對新的技術投資常感力有未逮，故成長受到限制。此一缺點連帶也影響行銷能力的拓展，調查過程中時聞廠商雖對彼此間殺價競爭嗤之以鼻，但也莫可奈何。因此如何聯合起來合作行銷、統一品牌，以加強競爭能力亦爲切要課題。

至於紡織業則以上游的棉紡和人纖業大廠較多，中游爲傳統的紡紗或織布業，其餘的染整、針織、成衣等則爲下游工業。中、下游工業亦以中小型工廠居多，這些工廠也是過去台灣紡織工業得以快速成長的最重要功臣。近年來，因受景氣低迷、需求不振、工資上漲、利率偏高和台幣升值等影響，中小企業紡織廠營運益爲困難，加以國外市場競爭對手增多，使外銷益受影響。因之如何提高紡織品附加價值，加強下游產品的設計創新和政府繼續獎勵輔導仍爲中小型紡織業者未來發展希望之所寄。

再者是作業生產和工業連鎖情形，依調查發現，兩業合計共有175家廠商（占70.9％），其產品或零組件有外發代工的情形（表4−16）。若將二業分

開，則電子工業的外發代工比例更高達82.2％（152家中有125家具有連鎖關係）；紡織業的代工比例稍低，但亦達52.6％（表4－17及4－18），至於臨時性質的外發代工比例，紡織業爲27.4％，電子業則達38.8％（表4－19～20）。而外發代工的成本占總成本的比例，兩業大致相若，均以占10－30％者居多（分別占54.6％及34.7％，詳如表4－21～22）。外發代工的工廠種類也以三種以內占絕大多數（電子業65.8％、紡織業45.3％），而四種以上者均不及10％（表4－23～24）。至於外發代工的家數分布則以6家以內者最多，電子業更占達61.2％，紡織業也占了37％，而超過10家者也分別占18.4％及12.6％（表4－25～26）。這裏必須指出的是：外發與代工關係基本上其意義有別，前者代表零組件或半成品交由衛星工廠或特約工廠（Subcontractors）生產；後者則係指有母子工廠關係，即母工廠交由子工廠生產，當然若工廠規模較大者，亦有可能兼有外發與代工二者。在調查問卷中曾就此二者詳予分列，唯訪問進行時業者均只能合併說明，故此處的統計也直接將對外發包與代工生產二者併計。

綜合調查結果可知，國內電子工業，其產品包括了消費性電子及資訊電子產品、通訊器材、被動性電子零件和消費性電子零配件。本研究調查樣本以生產消費性電子產品（主要包括一般電子零組件，如變壓器、電容器、可變電阻、二極體及電源供應器，以及電視遊樂器、電子玩具、揚聲器零件及音響器材和電子鐘錶等）、資訊電子（諸如電腦主機板、介面卡、記憶板及其他電腦周邊設備等）爲主，另外也包括通訊器材及電話機的生產。綜合而言多數中小電子工廠以消費性電子零組件與資訊電子產品及配件爲出口大宗。基本上這些中小型工業，往往都成爲國內大企業（即中心工廠）的衛星工廠，在調查時更發現也有不少屬於國外跨國公司的委託加工廠，這些中小型工業與國內外大企業結合，共同發展，形成一個尚稱完整的企業分工與連鎖體系。唯以目前多數大企業及中小企業較高級的原材料電子零組件工業仍需仰賴日本進口的現象看來，國內工業技術的升級和建立一個更緊密、而且相輔相成的大中小企業之「中心—衛星工廠生產體系」，仍待積極努力與整合。

一般而言，上述外包加工關係工廠的地區分布都以鄰近的兩個縣市爲主，也有擴及三個縣市以上者，尤以北部地區的電子工業最爲顯著，此係交通區位相當理想、聯絡方便、資訊發達、裝配加工或外發代工均稱便利所致。這應是北區電子工業的聚集區一再延伸、擴大的基本原因（如前所述圖4－14）。至於彰化地區的紡織業則也頗多有與台北地區連鎖生產的情形，通常他們係透過間接外銷方式，由台北紡織貿易商接訂單，再委託交由彰化紡織廠代工生產，也有直接與中部地區的上游業者或中盤商具備委託加工關係者。綜言之，國內紡織業在上、中、下游之間的連鎖生產關係也至爲緊密。至於與連鎖生產的工廠間之關係，不論電子或紡織，二者均以長期穩固的商務往來關係爲主，共164家，占65.6％。其次屬關係企業者約占20％，也有部份屬於家庭代工之臨時性商務往來，占12.8％（表4－27）。另外比較二業廠商五年前的特約關係與目前有無不同，雖有39.7％的廠商認爲並無不同，但也有近30％的廠商認爲已有很大變化（表4－28），這種差異似乎顯示國內工業環境與營運條件已面臨重大改變，這些內容在下章會有較深入的剖析。

最後是有關產品的銷售方式和技術來源，就銷售方式言，電子業的直銷或直接出口的比例高占61.8％（94家），運回原委託國後再行出口者占24.3％；至於紡織業則直銷或直接出口者占34.7％，運回原委託國後再行出口占28.4％，另外也有35家（占36.8％）廠商兼有兩種銷售方式（表4－29～30）。其次是訂單來源（即市場指向），如表4－31所示，目前此二業的主要市場指向仍以美、日兩國爲主（分占34％、10％），而直銷國內市場者亦占28％，歐洲占15％，亞洲其他地區則占10％（以香港爲主，占6.1％）。爲了解市場變化，本研究也問及五年前的訂單來源與目前的差異，結果發現電子業有三成五的廠商認爲訂單來源已有不同（表4－32）；而紡織業則有近六成（58.9％）的廠商反應市場趨勢已有改變（表4－33），充分顯示兩業的市場均已漸趨分散，而紡織業因面對更劇烈的國際競爭壓力，故其分散步調尤較電子業爲快。

至於技術來源，以電子業而言，技術來自日、美兩國者分占21％及15％，兩

國合占36.2％，來自國內者則高占34.9％，而自行開發技術者亦占達15.8％（表4－34）。此一統計數字可以充分反映國內廠商已漸重視研究發展，調查中更發現多數中小企業都已意識到研展工作是企業拓展未來生存空間的最好憑証。但受限於本身資金不足，以及研究方向的不確定因素與風險過高，致許多企業對產品開發及研展工作躊躇不前，不願做先鋒，而只是以仿造爲尚，這或許正是技術來源來自國內者占達三成五的主要原因。但就本調查中得知電子業自行開發技術已達一成半之事實觀之，其對國內工業技術革新，毋寧是個可喜的現象；同樣的情況更深刻地表現於紡織業上，其技術來源來自國外及自行開發者各僅占3.2％，而來自國內者高占93.7％（表4－35）。析其因，乃因爲數衆多的中小企業，欲進行技術開發與更新設備亦面臨諸多困難，而調查樣本中爲數頗多的中游紡紗織布業者（特別是分布在彰化和美、伸港、線西等地區爲主），多數廠商都是過去曾任其他工廠員工，習得技術後自行開業經營者，此種營運形態自乏創新可能，而僅以模仿製造爲主。因此從長遠看，政府如何輔導並獎勵下游業者進行新產品之開發設計，以及以融資優惠鼓勵中下游業者，如紡紗、織布、染整、成衣及針織業引進新設備，提高技術水準與競爭能力，亦爲目前重要努力方向。

表4-4　本研究調查業別分布　　　　　　　　f：廠家數

業別 區域	電 子 工 業		紡 織 工 業		合 計	
	f	%	f	%	f	%
北部地區	137	72.1	53	27.9	190	76.9
中部地區	9	18.8	39	81.3	48	19.4
南部地區	6	66.7	3	33.3	9	3.6
合　　計	152	61.5	95	38.5	247	100

資料來源：本研究整理

表4-5　設廠時間　　　　　　　　f：廠家數

時期 區域	42年以前		42－52年		53－62年		63－68年		69－71年		72－78年		合 計	
	f	%	f	%	f	%	f	%	f	%	f	%	f	%
北部地區	2	1.1	3	1.6	46	24.2	52	27.4	27	14.2	60	31.6	190	76.9
中部地區	3	6.3	2	4.2	11	22.9	10	20.8	7	14.6	15	31.3	48	19.4
南部地區	－	－	－	－	2	22.2	3	33.3	2	22.2	2	22.2	9	3.6
合　　計	5	2.0	5	2.0	59	23.9	65	26.3	36	14.6	77	31.2	247	100.0

資料來源：本研究整理

表4-6　電子業的設廠時間　　　　　　　　f：廠家數

時間 區域	42年以前		42－52前		53－62年		63－68年		69－71年		72－78年		合 計	
	f	%	f	%	f	%	f	%	f	%	f	%	f	%
北部地區	1	0.7	1	0.7	23	16.8	37	27.0	21	15.3	54	39.4	137	90.1
中部地區	－	－	－	－	3	33.3	2	22.2	1	11.1	3	33.3	139	5.9
南部地區	－	－	－	－	－	－	2	33.3	2	33.3	2	33.3	6	4.0
合　　計	1	0.7	1	0.7	26	17.1	39	25.7	24	15.8	59	38.0	152	100

資料來源：本研究整理

表4-7　紡織業的設廠時間　　　　　　　　f：廠家數

時間 區域	42年以前		42－52前		53－62年		63－68年		69－71年		72－78年		合 計	
	f	%	f	%	f	%	f	%	f	%	f	%	f	%
北部地區	1	1.9	2	3.8	23	43.4	15	28.3	6	11.3	6	11.3	53	55.8
中部地區	3	7.7	2	5.1	8	20.5	8	20.5	6	15.4	12	30.8	39	41.1
南部地區	－	－	－	－	2	66.7	1	33.3	－	－	－	－	3	3.1
合　　計	4	4.2	4	4.2	33	34.7	24	25.3	12	12.6	18	19.0	95	100

資料來源：本研究整理

表4-8　分工廠（公司）的有無　　　　　f：廠家數

有無分廠 區域	無分工廠（公司）		有分工廠（公司）		未填答		合　　計	
	f	%	f	%	f	%	f	%
北部地區	106	55.8	82	43.2	2	1.1	190	76.9
中部地區	29	60.4	19	39.6	－	－	48	19.4
南部地區	6	66.7	3	33.3	－	－	9	3.6
合　　計	141	57.1	104	42.1	－	－	247	100.0

資料來源：本研究整理

表4-9　是否投資其他行業　　　　　f：廠家數

有無轉投資 區域	未投資其他行業		有投資其他行業		合　　計	
	f	%	f	%	f	%
北部地區	127	66.8	63	33.2	190	76.9
中部地區	27	56.3	21	43.8	48	19.4
南部地區	7	77.8	2	22.2	9	3.6
合　　計	161	65.2	86	34.8	247	100.0

資料來源：本研究整理

表4-10　工廠規模　　　　　f：廠家數

規模 區域	零細規模 1－9人		較小規模 10－49人		小規模 50－99人		中規模 100－499人		大規模 500人以上		合　　計	
	f	%	f	%	f	%	f	%	f	%	f	%
北部地區	18	9.5	84	44.2	38	20.0	36	18.9	14	7.4	190	76.9
中部地區	19	39.6	17	35.4	6	12.5	6	12.5	－	－	48	19.4
南部地區	－	－	－	－	4	44.4	5	55.6	－	－	9	3.6
合　　計	37	15.0	101	40.9	48	19.4	47	19.0	14	5.7	247	100.0

資料來源：本研究整理

表4-11　廠地面積　　　　　　　　　　　　　　　　　f：廠家數

廠地面積 區域	<100坪		101－500坪		501－1000坪		1001－10000坪		>10000坪		合　　計	
	f	%	f	%	f	%	f	%	f	%	f	%
北部地區	48	25.2	80	42.1	25	13.2	23	12.1	14	7.4	190	76.9
中部地區	6	12.5	15	31.3	10	20.8	14	29.2	3	6.3	48	19.4
南部地區	—	—	3	33.3	2	22.2	4	44.4	—	—	9	3.6
合　　計	54	22.0	98	39.8	37	15.0	41	16.6	17	6.9	247	100.0

資料來源：本研究整理

表4-12　電子業的工廠規模　　　　　　　　　　　　f：廠家數

規模 區域	零細規模 1－9人		較小規模 10－49人		小規模 50－99人		中規模 100－499人		大規模 500人以上		合　　計	
	f	%	f	%	f	%	f	%	f	%	f	%
北部地區	9	6.6	56	40.9	28	20.4	31	22.6	13	9.5	137	90.1
中部地區	3	33.3	—	—	2	22.2	4	44.4	—	—	9	5.9
南部地區	—	—	—	—	2	33.3	4	66.7	—	—	6	4.0
合　　計	12	7.9	56	36.8	32	21.1	39	25.7	13	8.6	152	100.0

資料來源：本研究整理

表4-13　紡織業的工廠規模　　　　　　　　　　　　f：廠家數

規模 區域	零細規模 1－9人		較小規模 10－49人		小規模 50－99人		中規模 100－499人		大規模 500人以上		合　　計	
	f	%	f	%	f	%	f	%	f	%	f	%
北部地區	9	17.0	28	52.8	10	18.9	5	9.4	1	1.9	53	55.8
中部地區	16	41.0	17	43.6	4	10.3	2	5.1	—	—	39	41.1
南部地區	—	—	—	—	2	66.7	1	33.3	—	—	3	3.1
合　　計	25	26.3	45	47.4	16	16.8	8	8.4	1	1.1	95	100.0

資料來源：本研究整理

表4-14　電子業的廠地面積　　　　　　　　f：廠家數

廠地面積 區域	<100坪		101-500坪		501-1000坪		1001-10000坪		>10000坪		合　計	
	f	%	f	%	f	%	f	%	f	%	f	%
北部地區	40	29.2	48	35.0	18	13.1	20	14.6	11	8.0	137	90.1
中部地區	－	－	2	22.2	2	22.2	4	44.4	1	11.1	9	5.9
南部地區	－	－	3	50.0	2	33.3	1	16.7	－	－	6	4.0
合　　計	40	26.3	53	34.9	22	14.5	25	16.5	12	7.9	152	100.0

資料來源：本研究整理

表4-15　紡織業的廠地面積　　　　　　　　f：廠家數

廠地面積 區域	<100坪		101-500坪		501-1000坪		1001-10000坪		>10000坪		合　計	
	f	%	f	%	f	%	f	%	f	%	f	%
北部地區	7	13.2	32	60.4	7	13.2	4	7.5	3	5.7	53	55.8
中部地區	6	15.4	13	33.3	8	20.5	10	25.6	2	5.1	39	41.1
南部地區	－	－	－	－	3	100.0	－	－	－	－	3	3.1
合　　計	13	13.7	45	47.4	15	15.8	17	17.9	5	5.3	95	100.0

資料來源：本研究整理

表4-16　產品或零組件有無外發代工　　　　　f：廠家數

有無 區域	無		有		合　計	
	f	%	f	%	f	%
北部地區	37	19.5	153	80.5	190	76.9
中部地區	31	64.6	17	35.4	48	19.4
南部地區	4	44.4	5	55.6	9	3.6
合　　計	72	29.1	175	70.9	247	100.0

資料來源：本研究整理

表4-17 電子業產品或零組件有無外發代工　　　　f：廠家數

有無代工　區域	無外發代工		有外發代工		合　　計	
	f	%	f	%	f	%
北部地區	21	15.3	116	84.7	137	190.1
中部地區	3	33.3	6	66.7	9	5.9
南部地區	3	50.0	3	50.0	6	4.0
合　　計	27	17.8	125	82.2	152	100.0

資料來源：本研究整理

表4-18 紡織業產品或零組件有無外發代工　　　　f：廠家數

有無代工　區域	無外發代工		有外發代工		合　　計	
	f	%	f	%	f	%
北部地區	16	30.2	37	69.8	53	55.8
中部地區	28	71.8	11	28.2	39	41.1
南部地區	1	33.3	2	66.7	3	3.1
合　　計	45	47.4	50	52.6	95	100.0

資料來源：本研究整理

表4-19 電子業有無臨時外包代工　　　　f：廠家數

有無　區域	無臨時外包		有臨時外包		合　　計	
	f	%	f	%	f	%
北部地區	84	61.3	53	38.7	137	90.1
中部地區	7	77.8	2	22.2	9	5.9
南部地區	2	33.3	4	66.7	6	4.0
合　　計	93	61.2	59	38.8	152	100.0

資料來源：本研究整理

表4-20　紡織業有無臨時外包代工　　　　　　　　f：廠家數

有無　　區域	無臨時外包		有臨時外包		合　　計	
	f	%	f	%	f	%
北部地區	33	62.3	20	37.7	53	55.8
中部地區	34	87.2	5	12.8	39	41.1
南部地區	2	66.7	1	33.3	3	3.1
合　　計	69	72.6	26	27.4	95	100.0

資料來源：本研究整理

表4-21　電子業外發代工成本占總成本的%　　　　f：廠家數

%　　區域	無代工		<10		10-30		31-50		>50		合　　計	
	f	%	f	%	f	%	f	%	f	%	f	%
北部地區	22	16.1	12	8.8	76	55.5	18	13.1	10	7.3	137	90.1
中部地區	2	22.2	2	22.2	5	55.6	—	—	—	—	9	5.9
南部地區	3	50.0	1	16.7	2	33.4	—	—	—	—	6	4.0
合　　計	27	17.8	15	9.9	83	54.6	18	11.8	10	6.6	152	100.0

資料來源：本研究整理

表4-22　紡織業外發代工成本占總成本的%　　　　f：廠家數

%　　區域	無代工		<10		10-30		31-50		>50		合　　計	
	f	%	f	%	f	%	f	%	f	%	f	%
北部地區	16	30.2	1	1.9	26	49.1	7	13.2	3	5.7	53	55.8
中部地區	28	71.8	1	2.6	5	12.8	3	0.8	2	5.1	39	41.1
南部地區	1	33.3	—	—	2	66.7	—	—	—	—	3	3.1
合　　計	45	47.4	2	2.1	33	34.7	10	10.5	5	5.3	95	100.0

資料來源：本研究整理

表4-23　電子業外發代工的工廠種類　　　　　f：廠家數

代工種類 區域	無代工		1－3種		4－6種		6種以上		合　計	
	f	%	f	%	f	%	f	%	f	%
北部地區	21	15.3	91	66.4	15	10.9	10	7.3	137	90.1
中部地區	2	22.2	6	66.6	—	—	1	11.1	9	5.9
南部地區	3	50.0	3	50.0	—	—	—	—	6	4.0
合　　計	26	17.1	100	65.8	15	9.9	11	7.2	152	100.0

資料來源：本研究整理

表4-24　紡織業外發代工的工廠種類　　　　　f：廠家數

代工種類 區域	無代工		1－3種		4－6種		6種以上		合　計	
	f	%	f	%	f	%	f	%	f	%
北部地區	16	30.2	31	58.5	6	11.3	—	—	53	55.8
中部地區	28	71.8	10	25.6	1	2.6	—	—	39	41.1
南部地區	1	33.3	2	66.7	—	—	—	—	3	3.1
合　　計	45	47.4	43	45.3	7	7.4	—	—	95	100.0

資料來源：本研究整理

表4-25　電子業外發代工家數分布　　　　　f：廠家數

家數 區域	無代工		＜3家		4－6家		7－9家		＞10家		合　計	
	f	%	f	%	f	%	f	%	f	%	f	%
北部地區	21	15.3	49	35.8	35	25.6	4	2.9	28	20.4	137	90.1
中部地區	2	22.2	5	55.5	2	22.2	—	—	—	—	9	5.9
南部地區	3	50.0	1	16.7	1	16.7	1	16.7	—	—	6	4.0
合　　計	26	17.1	55	36.2	38	25.0	5	3.3	28	18.4	152	100.0

資料來源：本研究整理

表4-26　紡織業外發代工家數分布　　　　　　f：廠家數

家數＼區域	無代工		＜3家		4－6家		7－9家		＞10家		合　計	
	f	%	f	%	f	%	f	%	f	%	f	%
北部地區	16	30.2	15	28.3	9	17.0	3	5.7	10	18.9	53	55.8
中部地區	28	71.8	9	23.1	1	2.6	—	—	1	2.6	39	41.1
南部地區	1	33.3	—	—	1	33.3			1	33.3	3	3.1
合　　計	45	47.4	24	25.3	11	11.6	3	3.2	12	12.6	95	100.0

資料來源：本研究整理

表4-27　與外發代工工廠間的關係　　　　　　f：廠家數

關係＼區域	長期穩固		關係企業		臨時性商務往來		親友幫忙		合計	
	f	%	f	%	f	%	f	%	f	%
北部地區	143	66.5	40	18.6	28	13.0	4	1.9	215	86.0
中部地區	17	58.6	7	24.1	3	10.3	2	6.9	29	11.6
南部地區	4	66.7	2	33.3	1	16.7	—	—	6	2.4
合　　計	164	65.6	49	19.6	32	12.8	6	2.40	250	100.0

資料來源：本研究整理

　　註：本題爲複選

表4-28　五年前特約關係與目前有無不同　　　　　　f：廠家數

有無不同＼區域	未填答		無不同		有不同		合　　計	
	f	%	f	%	f	%	f	%
北部地區	44	23.2	86	45.3	60	31.6	190	76.9
中部地區	31	64.6	7	14.6	10	20.8	48	19.4
南部地區	3	33.3	5	55.6	1	11.1	9	3.6
合　　計	78	31.6	98	39.7	71	28.9	247	100.0

資料來源：本研究整理

表4-29　電子業產品銷售方式　　　　　　　　f：廠家數

銷售方式 區域	直銷或直接出口		運回委託國後再行出口		已上二者均有		合　計	
	f	%	f	%	f	%	f	%
北部地區	85	62.0	31	22.6	21	15.3	137	90.1
中部地區	6	66.7	3	33.3	—	—	9	5.9
南部地區	3	50.0	3	50.0	—	—	6	4.0
合　計	94	61.8	37	24.3	21	13.8	152	100.0

資料來源：本研究整理

表4-30　紡織業產品銷售方式　　　　　　　　f：廠家數

銷售方式 區域	直銷或直接出口		運回原委託國後再行出口		以上二者均有		合　計	
	f	%	f	%	f	%	f	%
北部地區	23	43.4	12	22.6	18	34.0	53	55.8
中部地區	9	23.1	14	35.9	16	41.0	39	41.1
南部地區	1	33.3	1	33.3	1	33.3	3	3.1
合　計	33	34.7	27	28.4	35	36.8	95	100

資料來源：本研究整理

表4-31　主要接受那一個國家訂單（訂單來源）　　f：廠家數

市場 區域	未填答		美　國		日　本		國內市場		香　港	
	f	%	f	%	f	%	f	%	f	%
北部地區	2	1.1	70	3.8	19	10.0	45	23.7	11	5.8
中部地區	1	2.1	11	22.9	4	8.3	22	45.8	2	4.2
南部地區	—	—	3	33.3	2	22.2	2	22.2	2	22.2
合　計	3	1.2	84	34.0	25	10.1	69	27.9	15	6.1

市場 區域	亞洲其他地區		歐　洲		加　拿　大		中南美洲		合　計	
	f	%	f	%	f	%	f	%	f	%
北部地區	9	4.6	30	15.8	3	1.6	1	0.5	190	76.9
中部地區	1	2.1	7	14.6	—	—	—	—	48	19.4
南部地區	—	—							9	3.6
合　計	10	4.0	37	15.0	3	1.2	1	0.4	247	100.0

資料來源：本研究整理

表4-32 電子業五年前訂單來源與目前有無不同　　　f：廠家數

有無不同／區域	無不同		有不同		合 計	
	f	%	f	%	f	%
北部地區	91	66.4	46	33.6	137	90.1
中部地區	4	44.4	5	55.6	9	5.9
南部地區	3	50.0	3	50.0	6	4.0
合　計	98	64.5	54	35.5	152	100.0

資料來源：本研究整理

表4-33 紡織業五年前訂單來源與目前有無不同　　　f：廠家數

有無不同／區域	無不同		有不同		合 計	
	f	%	f	%	f	%
北部地區	25	47.2	28	52.8	53	55.8
中部地區	13	33.3	26	66.7	39	41.1
南部地區	1	33.3	2	66.7	3	3.1
合　計	39	41.1	56	58.9	95	100.0

資料來源：本研究整理

表4-34 電子業的技術來源　　　f：廠家數

技術來源／區域	未填答		日本		美國		國內		自行開發		歐洲		合 計	
	f	%	f	%	f	%	f	%	f	%	f	%	f	%
北部地區	14	10.2	27	19.7	22	16.1	52	38.0	19	13.9	3	2.2	137	90.1
中部地區	1	11.1	3	33.3	1	11.1	—	—	4	44.4	—	—	9	5.9
南部地區	2	33.3	2	33.3	—	—	1	16.7	1	16.7	—	—	6	4.0
合　計	17	11.2	32	21.1	23	15.1	52	34.9	24	15.8	3	2.0	152	100.0

資料來源：本研究整理

表4-35　紡織業的技術來源　　　　　　　　f：廠家數

技術來源 區域	未填答		日本		美國		國內		自行開發		歐洲		合　計	
	f	%	f	%	f	%	f	%	f	%	f	%	f	%
北部地區	—	—	2	3.8	1	1.9	47	88.7	3	5.7	—	—	53	55.8
中部地區	—	—	—	—	—	—	39	100	—	—	—	—	39	41.1
南部地區	—	—	—	—	—	—	3	100	—	—	—	—	3	3.1
合　　計	—	—	2	2.1	1	1.1	89	93.7	3	3.2	—	—	95	100

資料來源：本研究整理

註釋：

❶這方面的論文相當多，例如V.R. Fuchs, "Changes in the Location of U.S. Manufacturing Since 1929," _Journal of Regional Science_, Vol.1, no.2, 1959.或本文第一章註㉚，PP.193－214。

❷有關台灣地區工業集散趨勢的研究論文也相當多，可參閱本文第一章註⑩，鍾懿萍、李穗玲等人的著作；或參閱唐富藏，「台灣工業地區性分散發展之研究」，_台灣工業發展會議上冊_，台北：中央研究院經濟研究所，1983，第237－302頁。

❸參閱本文第一章註⑩賴光政著，第29－32頁。

❹過剩員工數的計算是有效辨識工業區域差異的良好工具之一，參閱第一章註㉟；本文過剩員工數的計算公式是：

某市鄉鎮區的過剩員工數＝某市鄉鎮區工業員工數－該市鄉鎮區總有業人口×

$$\frac{台灣地區工業員工數}{台灣地區總人口}。$$

❺吉尼係數值介於0與1之間，愈小表示該業的空間分布愈均勻，反之則愈集中。其計算公式為

$$G_i n_i = \binom{360}{j} = \Sigma \, | \, L_{ij}/L_{\cdot j} - L_{\cdot i}/L_{\cdot \cdot} \, | \, /2$$

其中L_{ij}：表i區j種工業員工數，$L_{\cdot j}$：表全區j種工業員工數，$L_{\cdot i}$：表i區所有工業員工數，$L_{\cdot \cdot}$：表全區所有工業員工數。

❻此處主要係參考第一章註⑩中李穗玲的研究，第28－32頁。

❼此一方法的計算可詳閱陳伯中，經濟地理，台北：三民書局，1973，第147－152頁。

❽鍾懿萍，_台灣地區工業空間集散分布之研究_，台大土木工程學研究所碩士論文，1984，第59頁。

❾本文吉馬指數的計算公式：GMI＝［ΣX²／（ΣX）²］×100，式中X代表每一市鄉鎮區的工業員工數，此處即代表全台灣352個市鄉鎮區的工業員工數。參閱第二章註㉒，第34－36頁。此一指數變化幅度在0－100之間，0表絕對分散，即每一單位有相同的工業員工，100表分布絕對集中，即所有工業員工出現在同一區域單位。由於資料筆數龐大，故均使用Lotus 123進

行運算。

⑩本研究以區位商數（Location Quotient）代表地區工業化水準旳衡量，其公式：

LQ＝Ai／Bi／Ci／Di；式中，Ai：表某市鄉鎮區工業員工數，Bi：表該單位總就業人口數，Ci：表台灣地區總工業員工數，Di：表台灣地區總就業人口數。

⑪引自第一章註⑩，pp.94-96；或參閱史濟增，「分散型工業化與台灣農村就業結構之轉變」，于宗先等主編，台灣與香港的經濟發展。台北：中研院經濟研究所，1983，第53－78頁。

⑫蔡宏進，「戰後台灣工業發展的空間分布及人口移動的趨勢」，台北市銀月刊，12（6）：36－37（1981）。

⑬拙着，「工業化和工業區域結構的研究理念」，師大地理教育，13：118（1987）。

⑭林邦充，「台灣棉紡織工業發展之研究」，台銀季刊，20（2）：77（1969）；或參閱蔡中焜，台灣地區棉紡工業經營成長之研究，淡江大學管理科學研究碩士論文，1983，第1頁。

⑮參閱蕭峰雄，產業及技術選擇與工業發展—我國紡織工業之個案研究，文化大學經濟研究所博士論文，1982，第38頁。

⑯趙岡、陳鍾毅著，中國棉業史，台北：聯經出版公司，1977，第257頁。

⑰周文，「台灣之紡織工業」，台銀季刊，24（1）：96（1973）。

⑱蔡瑞娟，台灣紡織業的成長與循環，台大經濟研究所碩士論文，1983，第87頁；或張茂修，「台灣紡織工業之發展」，台銀季刊，33（4）：46（1982）。

⑲同上註。

⑳此處有關電子工業發展過程的討論，參閱楊森林，我國電子工業經營成長之研究，淡江大學管理科學研究所碩士論文，1982，第8－37頁。

㉑同第三章註⑯，第41頁。

㉒同第一章註㊻，第109頁。

㉓李敏慧，台灣北區電子工業之空間分布及其區位因素之探討，師大地理研究所碩士論文，1984，第16頁。

㉔嚴勝雄，「群馬縣大泉町の工業」，地理學評論，41(12)：762－774（1969）。

第五章　工業發展的區位調整和
投資環境的改變

　　如前所述，台灣地區由於社會經濟結構的劇烈變遷，整個工業發展環境和投資條件也相對發生急遽的變化，有關工業發展環境結構變化將於第六章作完整討論，至於因應社經結構的變遷，現階段製造業者對地方經濟條件的區位認知情形如何？工廠區位又做怎樣旳調適？而經營者所面對的對內、對外投資環境的變異情況又如何？廠商是否應變又如何應變？這些課題正是本章的旨趣所在。在本章的最後一節則嘗試透過數量化Ⅱ類之計量方法進行廠商對外投資的判別分析，藉以瞭解廠商外移的種類及其傾向，並進一步分析其利弊得失。

5-1　工業設廠的共同區位認知因素及其業別差異

　　基本上，廠商往往基於比較利益或空間偏好而選址設廠，同時透過廠商對於區位條件的認知意像，亦可適當反映台灣地區工業設廠環境之現狀。爲了瞭解各區位因素之間的相關性，以及資料之間所可能存在的關係類型，乃利用因子分析（Factor Analysis）將問卷所列14項區位條件（即交通便利、衛星工廠多、易僱用非技術人力、易僱到技術性人力、勞資便宜、工業用地易取得、原料供應充足、廢棄物處理方便、公共設施完善、接近市場、近大都市、環境氣候適宜、水電充足及其他等14項、　即表5－2的L1-14）。　根據因子負荷量（Factor Loading）和固有值（Eigenvalue），分別自電子和紡織二業抽出五和六項共通性因子（表5—1～2），亦即將業者所考慮的14個變項，歸納成五種現象，爲使因

表5-1　電子業廠商區位認知因子分析摘要表

變量＼因子負荷量	因子1	因子2	因子3	因子4	因子5	共通性
L1.交通便利，運費低廉	.6036	−.2520	.2143	−.1190	.1848	.5221
L2.衛星工廠多	.6120	−.1622	.1922	−.0176	.1892	.4738
L3.容易僱到非技術性人力	.6018	−.0120	−.0451	.0178	.2520	.4282
L4.容易僱到技術性人力	.2484	−.0817	.0834	.0621	.5115	.3409
L5.當時勞工來源充足，且勞資便宜	.5477	−.1089	−.0051	.1550	.0797	.3423
L6.土地及建築物易於購買或租用	.3391	−.3311	−.0847	.2136	−.0894	.2854
L7.接近原料來源，且供應充足	.6503	−.2683	.1490	.2022	−.0157	.5582
L8.廢水排除和廢棄物處理方便	.1151	−.3995	.1575	.5164	.1076	.4759
L9.各項公共設施完善，且制度健全	.0428	−.6007	.2138	.2993	.1281	.5144
L10.接近國內消費市場，具發展潛力	.3798	−.1122	.5834	.2690	.2495	.6318
L11.近大都市，消息靈通，資訊發達	.3715	−.0860	.5941	.0450	.1587	.5255
L12.環境和氣候條件相當適宜	.2050	−.6880	.1946	.0612	.0540	.5599
L13.水電供應充足且價格便宜	.2335	−.7589	.0970	.0294	.0492	.6432
寄與率（％）	.4144	.2810	.1433	.0837	.0776	
累積寄與率（％）	.4144	.6954	.8387	.9224	1.0000	

資料來源：本研究整理

表5-2　紡織業廠商區位認知因子分析摘要表

變量＼因子負荷量	因子1	因子2	因子3	因子4	因子5	因子6	共通性
L1.交通便利，運費低廉	.4278	.2851	−.1817	−.1038	−.0450	.1447	.3311
L2.衛星工廠多	.6632	.0799	−.0315	.3421	.1193	.2620	.6472
L3.容易僱到非技術性人力	.7019	.1201	.1308	−.0084	.0041	.0523	.5270
L4.容易僱到技術性人力	.3243	.2976	.1885	.2672	.0711	.0981	.3154
L5.當時勞工來源充足，且勞資便宜	.6364	.0256	.2682	.1852	−.0196	.0006	.5122
L6.土地及建築物易於購買或租用	.0816	.0451	.0307	.5022	−.1692	−.0414	.2921
L7.接近原料來源，且供應充足	.3878	.4649	.1438	.4061	.2768	−.0283	.6295
L8.廢水排除和廢棄物處理方便	.1232	−.0042	.6306	.0623	−.0773	.0972	.4322
L9.各項公共設施完善，且制度健全	.0964	.1384	.3017	−.1440	.0438	.5140	.4063
L10.接近國內消費市場，具發展潛力	.2500	.6167	.0833	.0421	−.1187	−.0140	.4658
L11.近大都市，消息靈通，資訊發達	.0328	.5941	.0438	.0378	.0238	.1052	.3691
L12.環境和氣候條件相當適宜	.2863	.2939	−.0816	.1752	−.0548	.3971	.3664
L13.水電供應充足且價格便宜	.0147	.4795	.1018	.0348	.1387	.1410	.2808
L14.其他	−.0189	−.0400	.0512	.1015	−.5102	−.0072	.2752
寄與率（％）	.3622	.2392	.1168	.1187	.0728	.0903	
累積寄與率（％）	.3622	.6014	.7182	.8370	.9097	1.0000	

資料來源：本研究整理
　　註：L14（其他）係指擴廠彈性大及地下水源容易取得。

素之代表意義更臻明確，茲將各現象因子賦予適當名稱並說明如下：

（一）第一考慮因子（F1）：傳統區位因素（即交通、聚集與勞工因素）

如表5—1～2所示，國內廠商設廠考慮因素，不論電子或紡織，均仍以傳統區位理論所揭櫫的三大因素爲首要考慮，因子負荷量較高的包括：交通便利，運費低廉（L1）、衛星工廠多，可獲聚集利益（L2）、接近原料來源且供應充足（L7）、當時勞工來源充足，且勞資便宜（L5）及容易僱到非技術性人力（L3）等。顯然交通易達性、原料便利性和衛星聚集關係，以及勞動力條件爲國內廠商設廠時的優先考慮因素，換言之，Webber區位理論中所強調的三大因素仍具關鍵影響力。尤其是此二業爲典型勞力密集工業，對非技術性勞力需求殷切，而且在其製程中，原料供應和中間產品之間的流通關係也相當密切。因此，交通、聚集與勞工俱爲優占區位因子，其寄與率（即可解釋程度）分別高達41.4％和36.2％。

（二）第二考慮因子（F2）：環境條件和公共設施因素

表5-1及5-2顯示，以水電充足，價格便宜（L13）、環境條件適宜（L12）及位於工業區，公共設施完善（L9）等三個變項的因子負荷量較高，其解釋程度也達28.1％，唯紡織業係出現在第六因子軸上。顯然國內廠商對於環境、水電供應及公共設施完善與否也甚爲重視，同時電子業之重視程度尤勝於紡織業。

（三）第三考慮因子（F3）：市場潛力和都市資訊因素

在第三因子結構中，接近消費市場，具發展潛力（L10）、近大都市，資訊發達（L11）兩個變項因子負荷量居前兩位，其寄與率爲14.33％，其中紡織業甚至還位在第二因子的正軸結構中。由此顯見廠商在商言商，其經營亦以市場利益爲前提，雖然電子和紡織產品以外銷爲主，但因其零組件和關連工業密切連結，加以爲求確切掌握瞬息萬變的商場資訊，因而經營者也希望能將工廠儘量接近大都市或近郊，以獲取大都市的金融、貿易及其他服務資訊等聚集經濟，俾利市場開拓與發展。

（四）第四考慮因子（F4）：公害處理因素

若以電子與紡織二業比較，電子除部分產品外，其原材料大多屬固態物料，因此噪音與污染較輕微；紡織則不然，在其製程中，往往需進行液態處理，故而紡織廠的噪音及染整廠的污染均甚嚴重，因此兩項業別此一變項的因子負荷量就有明顯差異，紡織業的「廢水排除和廢棄物處理方便」出現在第三因子正軸結構（L8＝0.6306），電子業則出現在第四因子軸（L8＝0.5164）。此一事實，筆者在實地工廠調查時尤其有深刻的體會，例如電子業污染較輕微，故可在人口密集的台北市忠孝東路六、七段的工業公寓密集設廠；至於紡織業則因污染較嚴重，故大多被迫外移，調查時就曾發現：在由新店往烏來的新烏路上，竟然也有數家紡紗廠就位在風光明媚的燕子湖畔，只見偌大的污染工廠，座落在湖光山色中，確實顯得相當突兀。

(五)第五考慮因子（F5）：技工及土地因素

　　電子業的技工因素和紡織業的土地因素可並列為第五因子，前者在第五因子軸中負荷量最高；後者則居第四因子軸之首位。此一事實充分反應，電子業者對於熟練和半熟練技術工的僱用甚為重視，尤其電子產品生命週期短，廠商為求提高產能，並減少勞工訓練成本的支出，故也希望能把握此項區位利益。至於紡織業，因其對廠地面積需求量較大，故土地成本的大小和廠地是否易於購買或租用，往往也是業者選擇區位的重要考慮因素。如前所述，台灣地區紡織業的郊區化與分散化趨勢如此明顯，想必即因此故。台北縣樹林新莊地區和彰化縣和美、線西、伸港地區紡紗及織布廠的區位集中可充分反映此一現象。另外也落在第五因子軸的其他變項，主要係指擴廠彈性較大和地下水源容易取得（L14＝－0.5102），故也可歸入土地因子。在這裏特別要強調的是：就本因子中的技工因素而言，不同形態或不同規模水準的工廠，其對技工（即技術性人力）的定義或標準的認定未必有共識，在技工的認定標準並不確定的情況下，有關技工因素的討論自嫌太過粗略。不過從因子分析的結果，也可得知電子和紡織業者均對此項因素相當重視，因為員工招募成本和訓練成本的節省，也是工業經營的重要考量。

　　綜如上述可知國內廠商的區位選擇，仍以「傳統區位因素」、「環境和公共

設施」、「市場潛力和都市資訊」、「公害處理」及「技工和土地」等五項複合區位因素爲主要考慮。其累積寄與率顯示已能完全解釋工廠設廠有利因素之共同特性，而證諸本文第二章2-2工業發展之區位因素的分析結果，似乎可以肯定台灣地區目前的整體設廠區位條件尚稱理想。最後尚須進一步指出的是：以上有關工業設廠之共同區位因素的處理，主要係依據廠商的認知意見所做的分析。可以想見的是，此一分析結果與實際的設廠條件和狀況必然會有某種程度差距，例如各業工廠對工業公害的認定標準、生產製程中產生公害的污染程度、對設廠環境或條件的要求項目，地下水取得容易與否，以及對技術性勞工和熟練技師的需求程度等必然會有很大的不同，當然其反應也不會一致。此一課題尚有待未來深入探討，以便進一步加以釐清。

5-2　工業區位遷移的共同區位認知因素

　　一般而言，工業發展有其慣性（Inertia），工廠區位一旦決定，除非業者所面對的內外在條件有劇烈改變，或再區位（Relocation）具有長期利益，否則甚少變動。但廠商爲適應外部經濟的時空變動，工廠也有遷移的可能。如表5-3所示，本研究樣本中電子業幾乎有半數以上（51.3％）曾經遷廠，紡織業則有近半數（45.3％）廠商曾經遷廠（表5-4）。而且根據調查，其遷移的時間大多是在最近十年（兩業合計共120家曾遷廠的工廠中有102家係在民國69年以後遷廠，占85％）（表5-5～6），因此藉由廠商遷廠的區位認知與調整，應可適當反映現階段國內的內外在投資環境的變化情形及其現況。爲達此目的，乃利用因子分析法，將12個變項整理歸納出四種類型（表5-7），在電腦運算過程中，本研究也曾將原始資料區分爲紡織及電子二業分開計算出結果，然因差異性不明顯，故此處逕以兩業合併之運算結果，即直接以此四個因子類型來説明廠商進行再區位的四個共通因子：

　　㈠第一因子類型（F1）：考慮工業疏散化和公害處理

表5-3　電子業是否曾經遷廠　　　　　　　　　　　　　　　f：廠家數

項目 區域	未曾遷廠		曾經遷廠		合　　計	
	f	%	f	%	f	%
北部地區	65	47.4	72	52.6	137	90.1
中部地區	6	66.7	3	33.3	9	5.9
南部地區	3	50.0	3	50.0	6	4.0
合　計	74	48.7	78	51.3	152	100

資料來源：本研究整理

表5-4　紡織業是否曾經遷廠　　　　　　　　　　　　　　　f：廠家數

項目 區域	未曾遷廠		曾經遷廠		合　　計	
	f	%	f	%	f	%
北部地區	25	47.2	28	52.8	53	55.8
中部地區	25	64.1	14	35.9	39	41.1
南部地區	2	66.7	1	33.3	3	3.1
合　計	52	54.7	43	45.3	95	100

資料來源：本研究整理

表5-5　　電子業的遷廠時間　　　　　　　　　　　　　　　f：廠家數

時期 區域	未遷廠		53-62年		63-68年		69-71年		72-78年		合　計	
	f	%	f	%	f	%	f	%	f	%	f	%
北部地區	66	48.2	4	2.9	4	2.9	13	9.5	50	36.5	137	90.1
中部地區	6	66.7	—	—	—	—	1	11.1	2	22.2	9	5.9
南部地區	3	50.0	—	—	1	16.7	—	—	2	33.3	6	4.0
合　計	75	49.3	4	2.6	5	3.3	14	9.2	54	35.6	152	100

資料來源：本研究整理

表5-6　紡織業的遷廠時間　　　　　　　　　　　　　　　　f：廠家數

時期 區域	未遷廠		53-62年		63-68年		69-71年		72-78年		合　計	
	f	%	f	%	f	%	f	%	f	%	f	%
北部地區	25	47.2	3	5.7	4	7.5	4	7.5	17	32.1	53	55.8
中部地區	25	64.1	—	—	2	5.1	1	2.6	11	28.2	39	41.1
南部地區	2	66.7	—	—	—	—	1	33.3	—	—	3	3.1
合　計	52	54.7	3	3.2	6	6.3	6	6.3	28	29.5	95	100

資料來源：本研究整理

表5-7　工業區位遷移因子分析摘要表

| 變量 | 因子負荷量 | | | | 共通性 |
	因子1	因子2	因子3	因子4	
M1.地價太高，房租太貴	.4966	.0247	.0111	−.1035	.2581
M2.交通運輸欠便利	.0030	.0060	.4887	−.1720	.2684
M3.原廠地點不合分區使用計畫	.6897	−.1519	.1893	−.0618	.5385
M4.原廠附近缺乏公共設施	.2839	.2278	.5919	−.2083	.4770
M5.擴大經營，原廠面積不夠使用	.0455	.6833	−.0849	−.0282	.4770
M6.原廠房地點與環境不佳	.0626	.6532	.3396	−.1231	.5610
M7.原廠地公害處理不方便	.3985	.0395	.2564	−.1725	.2558
M8.原廠地不易僱到勞工	.1022	.0130	.5303	−.1438	.3125
M9.響應政府工廠向郊區疏散政策	.4918	.3092	.0328	−.3481	.4597
M10.附近衛星工廠太少	.3278	.1299	.2289	−.7394	.7235
M11.原廠距市場或原料供應地過遠	.1538	.0453	.1943	−.8003	.7040
寄與率（％）	.3139	.2084	.2202	.2576	
累積寄與率（％）	.3139	.5222	.7424	1.0000	

資料來源：本研究整理

在第一因子軸中以原廠地點不合分區使用計畫（M3）、地價太高，房租太貴（M1）、響應工廠郊區化政策（M9）及原廠地公害處理不方便（M7）等四項因子得點較高。由此充分顯示都市地區，由於嚴格執行分區使用管制、地價暴漲、環境污染及交通擁塞等都市化不經濟因素的負面影響，亦即遷廠之推力因素已迫使市區工廠逐漸往外圍地區疏散❶。圖5-1可清楚看出此一疏散化趨勢，由於台北新舊市區的區位利益逐漸喪失，再加上都市化不經濟的衝擊，使得工廠大量往具備比較利益的近郊地區遷移，其目的地以北部來看，主要包括電子業漸向松山、南港、內湖及三重、新莊、板橋及桃園、新竹移動；紡織則以移往樹林、土城為主。中部地區的電子業則以移往潭子、霧峰、豐原及和平鄉為主；紡織業則漸向和美、線西、伸港及社頭鄉等地集中；而南部地區樣本雖少，但郊區化的趨勢仍隱約可見（圖5-1）。至於公害處理不便也是重要推力因素，由於環保識覺的提昇和環保當局對於防治污染的要求益加嚴格，也使得工廠遷移更為頻繁。

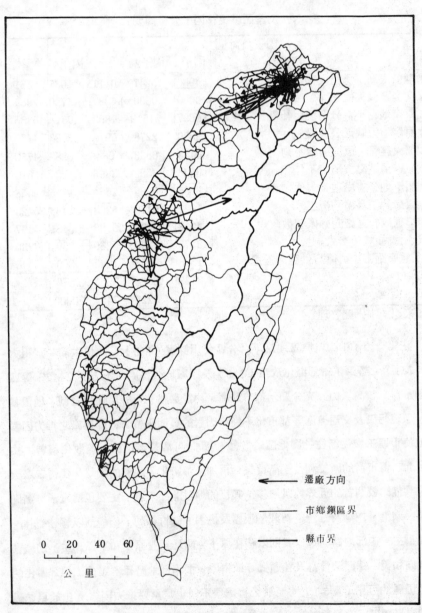

圖5-1　台灣地區工業區位的遷廠趨勢

(二)第二因子類型（F2）：考慮擴廠需要和原廠環境不佳

　　擴大經營，原廠面積不夠使用（M5）和原廠房地點環境不佳（M6）兩變量的得點在第二因子軸中顯得特別突出，顯示吸引廠商再區位的主要誘因，就是與推力相反的拉力因素，由於工廠規模隨市場需求增加而不敷使用，乃有遷廠舉動以便擴大經營。此項因素就過去四十年工業化過程中，居於出口工業核心的紡織與電子二業言，因出口市場的快速成長，使規模不斷擴充，故遷廠與擴廠頻繁，以尋求改善其內部經濟利益。至於原廠地點與環境不佳，則係考慮原廠附近的水患問題，例如地勢低窪排水不易，或遇雨成災及積水、淹水等，對現有廠房設備威脅甚大，只好另覓新廠址。

(三)第三因子類型（F3）：考慮交通不便、公共設施不佳及僱工不易

　　此三項變量代號分別是M2、M4及M8，此處交通不便係指交通擁擠，以及拖車、貨櫃車裝卸貨品困難等，此一事實在調查北投中央路集中設置的電子加工廠時，頗多業者作如是反映。此外，誠如區位認知因素所提到的，公共設施的便利也甚為重要，例如在訪問南港和內湖地區的電子廠時就發現：許多廠商基於規模經濟與內部經濟的長期發展考慮，以及原先不易辦理工廠登記（即地下工廠），於是進行有計畫的遷移到屬於都市計畫的工業區內設廠，以順利取得登記證俾利營運而拓展外銷。至於僱工不易的考慮，在目前勞動條件急遽惡化、勞工嚴重短缺的情況下，其影響層面恐將益形擴大。

(四)第四因子類型（F4）：考慮聚集經濟

　　最後第四因子軸中兩項得點頗高的變量是M10和M11，亦即考慮到附近衛星工廠太少，和原廠距市場或原料供應地過遠，正如前述聚集經濟是設廠的重要因子，遷廠也不例外。基本上，廠商在面臨經營不利條件時，也會嘗試透過外在條件的改善，來獲得聚集經濟的外部效果。舉例而言，廠商往往尋求與同行業的空間結合❷，以便減少成本。同時他們希望藉衛星關係，共同組織流通機構及共同採購或供銷，來獲取地方化經濟（Localization economies）❸，這種為了區域聚集而遷廠的例子，在訪問調查台北市北投區中央路二段密集設立的電子廠、新

店寶橋及中正路的電子廠和彰化線西、社頭地區密集的紡織廠時體會尤深。

綜言之，廠商的區位轉移，主要是受到「工業疏散化和公害處理」、「擴廠需要和原廠環境不佳」、「交通擁擠、設施不佳及僱工不易」和「聚集經濟」等四個因子類型的影響。而且四個因子的寄與率均在20.84％以上，顯示其解釋力相當高。由國內廠商遷移頻率如此高看來，顯示整個投資環境的內外在結構似乎均有了劇烈的變化，此一主題將留待下節作進一步的探討。

綜合以上兩節的分析可知：工業設廠的共同區位認知因素有明顯的業別差異存在，而工業區位遷移的共同區位認知因素則業別差異並不顯著。推究其因，乃因紡織與電子二業的性質有異，其設廠當時所認定的理想區位因素有所不同應是可以理解的；至於遷廠原因，因係對現有營運環境與條件所進行的調整與適應過程，基於追求企業經營利潤的目標和改善現有經營條件的想法較爲一致，因此區位轉移因素的共通性也較高。

5-3 廠商對內與對外投資環境的變化及其應變措施

承上所述，工業確是經濟成長動態過程中最具貢獻的部門，但隨著經濟體制由依賴性轉爲自主性，經濟形態也由閉鎖性邁入開放性❹，而且工業產品形態和產業結構也隨著世界產業發展趨勢的演變，逐漸由「重、厚、長、大」轉變成爲「輕、薄、短、小、高」的產品，亦即產品外觀講究輕薄短小，而且附加價值大爲提高。此一潮流更使整個內外在環境發生很大的變化。也使工業發展面臨諸多問題。而在現階段工業低成長期中，企業的投資意願不但低落，而且有每況愈下的趨勢。儘管近年來政府雖曾先後採取多項激勵或紓困措施，但似乎仍欲振乏力，投資行動仍然停滯且低迷。檢討影響國內投資意願的主要因素，如表5-8所示，依序是勞工缺乏、新台幣升值、環境保護問題和政治環境等四項，顯然此四項就開放系統而言，未必能涵蓋所有影響投資的變數。本文爲求週延，乃依相關文獻，並配合調查所得，將投資環境的衝擊誘因歸納爲內在和外在因素兩部分，

以下即就此分別加以闡述：

　　首先是內在衝擊方面，對廠商打擊最大的莫過於勞工短缺與勞工運動❺，甚至有很多廠商認爲勞基法過於偏袒勞方，也助長勞工缺乏與勞資對立的嚴重性。第二項內在因素是自力救濟過當也過多，解嚴以後一連串的聚衆自力救濟行爲，有時甚至演變成非理性的暴力威脅，也使許多業者望而却步，這或許是廠商認爲政治環境也影響投資意願的主因。其三是環保意識的矯枉過正，甚至走上極端的只要環境保護而不要經濟發展，全面抵制到底，此一現象更已嚴重妨礙多項重要工業活動的正常運作，長期而言，勢將影響整體經濟發展。第四項是過分的拜金主義，導致瘋狂的金錢遊戲和投機心態，使社會風氣與道德更形敗壞。最後第五項是日益惡化的治安狀況，更使得企業主惶惶不安，無心投資。長此以往，吾人好不容易紮下的企業根基恐將不保。

表5-8　影響國內投資意願的主要因素　　　　　　　f：廠家數

區域 ＼ 原因	新台幣升值		勞工短缺		環境保護問題		政治環境		合　計	
	f	%	f	%	f	%	f	%	f	%
北部地區	160	36.6	184	42.1	49	11.2	44	10.1	437	75.0
中部地區	40	31.5	46	36.2	25	19.7	16	12.6	127	21.0
南部地區	9	47.4	7	36.8	1	5.3	2	10.5	19	3.3
合　計	209	35.9	237	40.6	75	12.9	62	10.6	583	100.0

資料來源：本研究整理
　　註：本題爲複選，故總數超過247家。

　　其次是外在因素，如所週知，外在壓力最主要的是來自美國強烈的貿易保護主義，長期的對美貿易順差，不但使美國對輸美產品執行配額制度，甚且取消我國所享有的一般優惠關稅，其對廠商的影響不可謂不大。第二項外來衝擊是新台幣對美元匯率的大幅升值，近三年來新台幣已由原來39元升至26元左右，不但使工業競爭力衰退，廠商更反映在訂單上已不能全面接受，而必須多所考慮其獲利

率。其三是要求我國取消貿易障礙，大幅降低關稅，甚至要求我方開放多項產業❻，使美商投入經營。就在這些內外因素夾擊之下，許多廠商迫於憂患重重，乃紛紛走避東南亞或大陸投資設廠。

綜合而言，以上所討論的這些對國內投資環境所造成的內外在衝擊因素，其影響層面固然是至深且鉅。目前內外在投資環境的漸趨惡化甚至已使許多業者面臨生存的威脅。但深一層來看，這種現象應該也是工業轉型期中的必然演進過程。而在此一必然過程之後，相信政府在制定政策時，必然會更加考慮現實層面的問題，同時適時調整並改變政策，以期使工業生產技術能夠逐漸轉換提升。果能如此順利渡過轉型期，方能期待這些內外問題迎刃而解。以下續就廠商前往海外投資情形及其應變措施進行分析。

如表5-9所示，在受訪的247家廠商中已有近兩成已經去設廠或正進行海外投資中（19.8％），也有四成左右（41.3％）考慮到海外設廠，另外近四成（38.9％）則尚未考慮。換言之，已有六成左右的廠商已經具有海外投資或設廠的傾向，這樣的事實更足以反映投資環境已惡化到相當嚴重的地步，台灣地區工業投資的魅力顯已褪色。進一步根據調查所得深入分析這些有外移傾向的廠商（表5-10～11），結果發現：在電子業中已經到海外投資設廠的共17家，其中8家爲電腦及其週邊設備廠商，6家生產零組件及元件，3家生產電機產品；而已進行中的17家亦以電子零件廠商居多（共10家），其餘爲電腦及電機產品；至於考慮中，但尚未付諸行動者亦達60家，其中亦以電子零件廠爲最多（共30家）、電腦及其週邊產品22家，另8家生產電機類產品。顯然現階段已經外移的電子廠商，除了少數幾家屬於電子資訊高科技（如宏碁與王安電腦）之技術層次外，其餘大部分則均屬技術層次低，且無升級意願，若不尋求海外投資已乏競爭力之勞力密集工廠居多。其次是紡織業的海外投資情形，已經出走的4家，其中成衣兩家，毛衣及織布廠各一家；正進行海外投資中的11家中，成衣及針織毛衣共4家，其餘7家則主爲織布與紡紗廠；至於考慮中尚未行動的42家，其中成衣、毛衣廠共7家，染印廠2家，工業用布及用線廠商5家，織帶廠3家，其餘25家主爲紡紗及織布廠，

表5-9　是否考慮到海外投資或設廠　　　　　　f：廠家數

項目 區域	尚未考慮		正在考慮，尚未付諸行動		已經進行中		已經去設廠		合計	
	f	%	f	%	f	%	f	%	f	%
北部地區	75	39.5	76	40.0	19	10.0	20	10.5	190	76.9
中部地區	19	39.6	21	43.8	7	14.6	1	2.1	48	19.4
南部地區	2	22.2	5	55.6	2	22.2	0	0.0	9	3.6
合　　計	96	38.9	102	41.3	28	11.3	21	8.5	247	100

資料來源：本研究整理

表5-10　紡織業是否考慮到海外設廠投資　　　　f：廠家數

項目 區域	尚未考慮		正在考慮，尚未付諸行動		已經進行中		已經去設廠			
	f	%	f	%	f	%	f	%	f	%
北部地區	23	43.4	22	41.5	5	9.4	3	5.7	53	55.8
中部地區	14	35.9	18	46.2	6	15.4	1	2.6	39	41.1
南部地區	1	33.3	2	66.7	―	―	―	―	3	3.1
合　　計	38	40.0	42	44.2	11	11.6	4	4.2	95	100.0

資料來源：本研究整理

表5-11　電子業是否考慮到海外設廠投資　　　　f：廠家數

項目 區域	尚未考慮		正在考慮，尚未付諸行動		已經進行中		已經去設廠		合計	
	f	%	f	%	f	%	f	%	f	%
北部地區	52	38.0	54	39.4	14	10.2	17	12.4	137	90.1
中部地區	5	55.6	3	33.3	1	11.1	―	―	9	5.9
南部地區	1	16.7	3	50.0	2	33.3	―	―	6	4.0
合　　計	58	38.2	60	39.5	17	11.2	17	11.2	152	100.0

資料來源：本研究整理

而且深入了解其規模形態，亦以小型企業居多，且技術層次亦低。換言之，現階段的工業外移，有些確是在毫無利潤而且又不願繼續投資以改善經營條件的情形下被迫出走，這就整體投資和工業升級的考量言，似乎也有其不得不然的演進過程，亦即透過自然淘汰方式，對國內工業升級亦不無助益。但有一點值得注意的是：在經營面臨困境時，有六成以上的廠商（63.2％）已積極對困局進行應變（表5-12），近三成考慮採行應變措施，只有一成左右順其自然，未曾考慮。在工廠調查時對於國內中小企業所表現的高度企業韌性和經營特質，尤其印象深刻，例如在三重訪問工廠時有家小型電子加工廠，幾乎全家投入生產，白天經營者出外洽商、接單，已退休的父母則在家忙著加工或代工。晚上老板回來後繼續投入生產線，父母親則照顧孫子，週而復始，相當密集地使用有限勞力。這種應變作法在調查中發現所在多有，這似乎也正是許多企業主雖高喊輸血外銷，可是依然可以獲利的基本原因。廠商除了使用傳統的克難方法進行應變外，多數廠商亦針對其本身營運條件做了必要而具體的反應與調整，以下再詳予分析。

表5-12　面臨經營困境是否採行應變措施　　　　　f：廠家數

項目 區域	順其自然，並未考慮		正在考慮中		已經積極應變		合　　計	
	f	%	f	%	f	%	f	%
北部地區	17	8.9	47	24.7	126	66.3	190	76.9
中部地區	7	14.6	16	33.3	25	52.1	48	19.4
南部地區	1	11.1	3	33.3	5	55.6	9	3.6
合　　計	25	10.1	66	26.7	156	63.2	247	100

資料來源：本研究整理

表5-13　廠商從那些方面進行應變　　　　　　　f：廠家數

項目 區域	在營運管理方面		在勞工僱用方面		在原料使用方面		在自動化方面		合　　計	
	f	%	f	%	f	%	f	%	f	%
北部地區	100	31.1	100	31.1	46	14.3	75	23.4	321	78.7
中部地區	34	47.2	19	26.4	8	11.1	11	15.3	72	17.6
南部地區	5	33.3	2	13.3	3	20.0	5	33.3	15	3.7
合　　計	139	34.1	121	29.6	57	14.0	91	22.3	408	100.0

資料來源：本研究整理
註：本題為複選

有關廠商具體的應變措施，本研究依據調查問卷所得，將所有廠商就四方面的應變作法和具體措施，綜合歸納如表5-13所示，以下則就調查所得，根據廠商在四方面的各項具體應變措施與作法做詳細分析，而在每一項目之後均列出採取該項應變措施的工廠家數及其在各個大項目中所占的百分比。

㈠在營運管理方面（在這方面採取應變措施者共139家，占總數408家的34.1%），其具體應變作法包括：

1. 積極開發高附加價值、高單價、高技術密集的新產品，並不斷進行R&D工作，以加速產品升級。（採取此項應變措施者計26家，占總數139家的18.7%）

2. 加強合理化經營，逐漸步上制度化、自主化的生產方式，並透過系統規劃來確實執行計畫生產。不盲目接單，以期提高生產效能與營運效率。同時積極控制預算，削減不必要的費用支出，並進行內部組織結構之調整，藉以降低成本，提高生產力。（24家，占17.3%）

3. 爲滿足市場需求，並提高競爭能力，除了慎選產品外，亦努力朝向高層次的少量多樣化及少量高價化方向發展。同時也擴大轉移並分散市場，亦即銷售多國化。（23家，占16.6%）

4. 積極尋求海外投資機會，將勞力密集而又缺乏競爭力的工業外移到東南亞或大陸。（21家，占15.1%）

5. 部分廠商將外銷方式改爲以內銷爲主，以避免匯率的衝擊。（14家，占10.1%）

6. 健全管理制度，調整組織功能，並輔以電腦設備，逐漸達成電腦化管理目標，以創增利潤。（11家，占7.9%）

7. 紡織業有不少廠商以縮小經營規模及減量生產來回應變局，甚至停掉部分機台，減少接單數量，以節省固定成本，避免虧損。（11家，占7.9%）

8. 積極覓地以便遷廠或擴廠至市郊或鄉村地區，以節約成本，並避免各項都市化不經濟的負面影響。（9家，占6.5%）

㈡在勞工僱用方面（在這方面積極進行應變者共121家，占總數408家的
29.6％），其具體應變措施有：

1.由於勞力短缺與工資上漲，故減少內製比例，儘量外發給代工廠或家庭工
廠，以節省人工成本；或以外包計件方式外包給協力廠生產，不過Q.C工
作（即品管）也常由母公司自己做，以控制品質。（採取此項應變作法者
共39家，占總數121家的32.2％）

2.精簡人力、減少人工僱用，許多紡織工廠經營者更親自投入生產線，機動
或彈性安排生產作業。另方面實行減量生產，少僱人力。但在電子業景氣
暢旺時則鼓勵加班，執行高獎金、高效率制度以刺激生產效能，消化訂
單。（26家，占總數的21.5％）

3.與職校建教合作，以充裕人力資源，暑假則擴大招募工讀生作短期應
變。（24家，占19.8％）

4.提高勞工薪資、縮短工時並增加福利設施，甚至部分規模較大的廠商還實
行分紅入股制度。透過善待員工、提高待遇、改善工作環境來激勵士氣，
以提高生產力。（21家，占17.4％）

5.積極開發人力資源，研訂中、長期人力計畫，並在育才、選才、留才等方
面下功夫，以節省人工訓練成本。（11家，占9.1％）

㈢在自動化方面（在此方面進行應變者計91家，占總數408的22.3％）：

1.逐步增購自動化設備，使用機械化代替人工生產，以期逐漸達成省力化、
無人化，即全面自動化生產之目標。（採此措施者共27家，占總數91家的
30.0％）

2.引進SMT（資訊電子業中的自動黏著機器）以及全自動化的品檢機械，同
時組件加工也走向自動化生產方式。（共21家，占23.1％）

3.在變更設備時，儘量考慮與電腦結合，達成生產管理自動化及辦公室自動
化的目標。（共19家，占20.09％）

4.加速機器設備的汰舊換新，若不易推行全面自動化者，亦宜以推行半自動

化爲目標，以提高產能。（共17家，占18.7％.）

　5.有部分廠商購進微電腦裝置機械和機器人設備。（共7家，占7.7％）

㈣在原料使用方面（共有57家在此方面進行應變，占總數408的14％）：

　1.多方面開發原料來源，並積極尋求多元化及廉價的原料來源，甚至尋找代
　　用品及其他供應地，以期降低原料購價，節省成本。（共20家，占總數57
　　家的35.1％）

　2.調整產銷系統，減少庫存量，進而充分利用原料並減少報廢比例。同時充
　　分整理並加強整合廠內物科和其他直接原料，以降低耗損比率。（14家，
　　占24.6％）

　3.比較進口原料與國內採購的成本，慎選原料採購對象，儘可能採購本土化
　　原料，並多方研試積極尋求改善原料結構，以節約成本。（13家，占
　　22.8％）

　4.加強原料與零組件的整合，以求精簡規格。同時要求中、上游廠商儘量在
　　原材料的品質上與本廠密切配合，並不斷提升生產技術。（10家，占
　　17.5％）

5-4　國外投資趨向與海外投資的判別分析

　　承上所述，本研究調查樣本中已有兩成的廠商已赴海外投資或正進行海外設
廠，同時也有四成餘的廠商正在考慮，但尚未付諸行動（表5-9）。這樣的結果
似乎意味著海外投資熱潮正方興未艾，而且從最近的許多嚴肅報導看來，甚至有
沛然莫之能禦的現象。推溯其因，應是近三年來投資環境的急遽惡化，尤以新台
幣兌美元匯價的急速升值（達40％），使國內勞力密集產品頓失國際競爭力，中
小型工業爲求生存發展，乃有出走國外，以尋找企業的第二春。根據統計，我國
對外投資金額，在75年尚不足七千萬美元，76年驟增至七億美元以上，77年更跳
升至四十一億餘美元❼，其攀升的速度確實驚人。那麼他們的投資指向或偏好趨

向爲何呢？由表5-14或可得知梗概。

表5-14　海外投資設廠趨向與偏好　　　　　　　　　　f：廠家數

地區 區域	東南亞		泰　國		中國大陸		美　國		馬來西亞		香　港		印　尼	
	f	%	f	%	f	%	f	%	f	%	f	%	f	%
北部地區	25	5.1	127	26.1	102	21.0	16	3.3	100	20.5	13	2.7	15	3.1
中部地區	4	2.9	28	20.6	9	6.6	2	1.5	17	12.5	2	1.5	31	22.8
南部地區	1	4.5	6	27.3	4	18.2	1	4.5	3	13.6	1	4.5	1	4.5
合　計	30	4.7	161	25.0	115	17.8	19	2.9	120	18.6	16	2.5	47	7.3

地區 區域	新加坡		菲律賓		歐　洲		南美洲		南　非		其他地區		合　計	
	f	%	f	%	f	%	f	%	f	%	f	%	f	%
北部地區	25	5.1	35	7.2	8	1.6	9	1.8	8	1.6	4	0.8	487	75.5
中部地區	5	3.7	37	27.2	0	0.0	0	0.0	1	0.7	0	0.0	136	21.1
南部地區	3	13.6	1	4.5	1	4.5	0	0.0	0	0.0	0	0.0	22	3.4
合　計	33	5.1	73	11.3	9	1.4	9	1.4	9	1.4	4	0.6	645	100

資料來源：本研究整理
　　註：本題爲複選

　　如表5-14所示，國內廠商海外投資趨向以指向東南亞爲最多，若將東南亞的比例累計，則已高達72％，其中廠商尤其偏好泰國（25％）和馬來西亞（18.6％），居第三位的是中國大陸（17.8％），然後才是菲律賓、印尼、新加坡及美國等。若進一步將兩項業別分出，如表5-15及5-16所示，大致言二者投資趨向的排列順序與表5-14並無不同，也都以東南亞爲主要指向（電子業合占69.5％，紡織業則高占75.7％）。只是兩業投資偏好略有差異，其中電子業以前往泰國（25.8％）、馬來西亞（22.6％）、大陸（18.5％）及菲律賓（8.1％）爲主；而紡織業則依序是泰國（23.5％）、大陸（16.7％）、菲律賓（16.3％）、印尼（13.1％）及馬來西亞（12.4％）等。造成這種不同，其原因一時之間尚難釐清，但似乎與兩業的經營條件之需求差異和當地的勞工素質有關。東南亞地區之所以廣受國內廠商歡迎，與其同屬華人社會，國情相差不大，而且人脈廣闊、語言溝通較無困難等原因有密切關聯。環視整個東南亞，泰馬之所以獨受青睞，應是基於泰馬兩國長期政治安定、物產豐饒、土地面積廣大、氣候理想，而且其工業結構類似20年前的台灣；尤其泰國篤信佛教，華僑衆多，且從無排華活動，因

而台商大批湧入泰國投資，其投資金額也居東南亞之冠，在外人投資泰國的比例中也僅次於日本，而居第二位。至於馬來西亞也因工業環境理想及制度健全而受歡迎；而中國大陸則憑藉其低廉的工資水準和語言溝通容易也成爲投資新寵，從最近台塑企業也積極籌備赴大陸設廠即可見端倪。

爲進一步瞭解何種樣本形態（即範疇變項）的外移傾向較高，以及三種海外投資類型和各項內外在投資條件與變項之間的相互關係，以下就本研究所選擇的三種海外投資類型（表5-18），進行投資類型屬性的判別分析（Discriminatory Analysis）。此處所使用的分析工具爲多變量分析中的數量化模型II類，此一方法係假設已知數個群體受到數個要因變項的影響，那麼即可依此將影響各種海外投資類型的各個變項（如表5-17中左欄的各個說明變項，如產品類別等），及其範疇變項（如表中第二欄的X11－X18等），將二者作成適當的線性判別函數（屬於定性類之判別函數）。經運算後即可依據判別函數來測定各項說明變項（要因）對於海外投資類型的影響程度。同時如果已知某一新樣本的各說明變項之反應值時，亦可依其判別函數之大小，而判定該新樣本之歸屬，據以決定該樣本是否會加入海外投資的行列或屬於何種海外投資類型。

利用數量化II模型之運作所得到的各變項的每一範疇之權重值（即範疇係數），不僅可據以建立判別方程式；同時每個變項其範疇權重的全距（Range）大小，就代表了這個變項在所有範疇變項中的相對影響強度之大小。換言之，全距愈大，其影響強度也愈大。本文即透過此模型的反覆運作來選擇影響投資類型的各項要因及其等級，據以建立判別函數，依此函數來觀察各個要因的影響強度。圖5-2即爲藉數量化II模型的操作來建立判別函數之運算過程。

如表5-18所示，本文共輸入1.已經到海外設廠2.正進行海外設廠中3.尚未考慮到海外設廠等三項海外投資類型。其次將輸入的變項篩選後剔除掉影響程度較小的變項，最後實際使用的輸入變項包括：1.產品類別2.有無分廠3.是否投資其他行業4.工廠規模5.技術來源6.產品銷售方式等六項。分析結果見表5-17及5-18，顯示各說明變項的每一範疇（Xij）均有一範疇係數得點，其得點與海外投資類型

表5-15　電子業的海外投資設廠趨向與偏好　　　　f：廠家數

地區 / 區域	東南亞 f	%	泰國 f	%	中國大陸 f	%	美國 f	%	馬來西亞 f	%	香港 f	%	印尼 f	%
北部地區	15	4.3	92	26.1	68	19.3	12	3.4	81	23.0	6	1.7	11	3.1
中部地區	2	8.3	5	20.8	3	12.5	2	8.3	5	20.8	1	4.2	2	8.3
南部地區	1	5.6	5	27.8	2	11.1	1	5.6	3	16.7	0	0.0	1	5.6
合　計	18	4.6	102	25.8	73	18.5	15	3.8	89	22.6	7	1.8	14	3.6

地區 / 區域	新加坡 f	%	菲律賓 f	%	歐洲 f	%	南美洲 f	%	南非 f	%	其他地區 f	%	合計 f	%
北部地區	16	4.6	27	7.7	8	2.3	7	2.0	6	1.7	3	0.9	352	89.3
中部地區	0	0.0	4	16.7	0	0.0	0	0.0	0	0.0	0	24	24	6.1
南部地區	3	16.7	1	5.6	1	5.6	0	0.0	0	0.0	0	18	18	4.6
合　計	19	4.8	32	8.1	9	2.3	7	1.8	6	1.5	3	0.8	394	100.0

資料來源：本研究整理

註：本題為複選

表5-16　紡織業的海外投資設廠趨向與偏好　　　　f：廠家數

地區 / 區域	東南亞 f	%	泰國 f	%	中國大陸 f	%	美國 f	%	馬來西亞 f	%	香港 f	%	印尼 f	%
北部地區	10	7.4	35	25.9	34	25.2	4	3.0	19	14.1	7	5.2	4	3.0
中部地區	2	1.8	23	20.5	6	5.4	0	0.0	12	10.7	1	0.9	29	25.9
南部地區	0	0.0	1	25.0	2	50.0	0	0.0	0	0.0	1	25.0	0	0.0
合　計	12	4.8	59	23.5	42	16.7	4	1.6	31	12.4	9	3.6	33	13.1

地區 / 區域	新加坡 f	%	菲律賓 f	%	歐洲 f	%	南美洲 f	%	南非 f	%	其他地區 f	%	合計 f	%
北部地區	9	6.7	8	5.9	0	0.0	2	1.5	2	1.5	1	0.7	135	53.8
中部地區	5	4.5	33	29.5	0	0.0	0	0.0	1	0.9	0	0.0	112	44.6
南部地區	0	0.0	0	0.0	0	0.0	0	0.0	0	0.0	0	0.0	4	1.6
合　計	14	5.6	41	16.3	0	0.0	2	0.8	3	1.2	1	0.4	251	100.0

資料來源：本研究整理

註：本題為複選

表5-17 海外投資類型判別分析結果摘要表

說明變項（要因）	範疇變項	樣本數	範疇係數	全距	影響程度
產　品　類　別	X11 電子產品	69	0.04821	2.35577	2
	X12 電腦產品	22	0.77800		
	X13 電機產品	13	0.07838		
	X14 電器家電	5	−1.19351		
	X15 紡紗織布	31	−0.14573		
	X16 印染整理	6	−1.57777		
	X17 製衣成衣	7	0.25084		
	X18 毛衣針織	33	−0.09895		
有無分廠（分公司）	X21 無分廠	104	−0.22725	0.51546	6
	X22 有分廠	82	0.28821		
是否投資其他行業	X31 否	117	−0.22654	0.61066	5
	X32 是	69	0.38413		
工　廠　規　模	X41 1−9人	26	−0.76049	2.41547	1
	X42 10−49人	71	−0.52241		
	X43 50−99人	37	0.58828		
	X44 100−499人	39	0.34827		
	X45 500人	13	1.65498		
技　術　來　源	X51 日本	30	0.49019	0.95173	3
	X52 美國	22	−0.46154		
	X53 本國	131	−0.02969		
	X54 歐洲	3	−0.22067		
產品銷售方式	X61 直接出口	94	−0.19253	0.73263	4
	X62 運回委託國	46	0.54011		
	X63 二者均有	46	−0.14669		

判中率H＝51.94%

資料來源：本研究整理

127

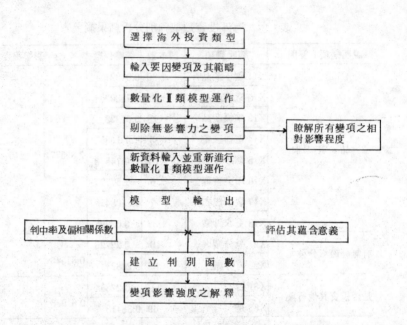

圖5-2 建立海外投資類型因子數量化 II 類判別函數流程

表5-18 海外投資類型的外在基準得點與影響程度

海　　外　　投　　資　　類　　型	樣 本 數	外在基準得點	影響程度
1.已經到海外投資設廠	20	1.10526	1
2.正進行海外投資設廠中	24	0.47641	2
3.尚未考慮到海外投資設廠	142	−0.23619	3

資料來源：本研究整理

之關係，可由表5-18得知。顯然得點愈大則其投資活動愈有可能外移到海外設廠，愈小則無此趨向，且範疇係數得點愈接近負值則愈無外移設廠之可能；爲確定各個投資類型的權數範圍，乃分別取兩類型之平均值，以其中間值爲該項海外投資類型之範疇，其結果如圖5-3。

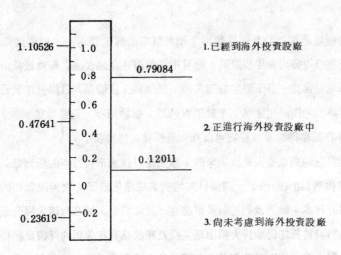

圖5-3　海外投資類型之外在基準得點及其範疇

以上述六個投資之説明變項依序輸入判別式中，據以判定何種屬性的廠商最具外移傾向，經由判別式的運算可以判定該樣本會從事何種海外投資類型，結果判中率達51.94％，顯然結果尚稱合理，由表5-17範疇係數之全距大小可知：全距由大而小依序是1.工廠規模（2.41547）；2.產品類別（2.35577）；3.技術來源（0.95173）；4.產品銷售方式（0.73263）；5.是否投資其他行業（0.61066）；6.有無分工廠（0.51546）。

綜合所有變項之範疇係數可以推知：國內廠商是否外移到海外投資設廠，與上述六項投資條件有密切的關係。其中影響程度最大的是工廠規模，尤以大規模（500人以上）工廠外移傾向最大（範疇係數高達1.65498），其次爲中小規模工

廠，基本上因大型工廠的國際化程度較高，他們爲了更廣泛獲得技術來源，並掌握國際市場的行銷通路，往往選擇科技發展較先進的國家投資，或與當地較尖端的科技公司建立合作關係，但深入分析本研究中的樣本，已經外移的廠商屬此種類型的大企業並不多，倒是以看中海外設廠可節省大量勞工成本之利點的中小型工廠占大多數，顯然這些工廠的升級意願並不高而以尋求海外設廠的第二春爲尚。

影響程度居第二的是產品類別，顯然就本研究的樣本中，以生產電腦、製衣、電子電機等勞力密集程度高，而且附加價值也高的產品之廠商最具海外投資潛力，畢竟交通的一日千里、無遠弗屆，已使其生產體系與國際分工緊密連結，這些都屬典型的國際化產業，至於毛衣針織、紡紗織布、染整等業，從表5-17和圖5-3之外在基準得點及其範疇可以判知其外移可能性較小。

排列第三的判別要因是技術來源，顯然是以技術來自日本的廠商最具外移傾向（範疇係爲爲0.49019），因爲日本的產業國際化最深，更何況我們的工業仍高度依附於日本。最近我們的對美貿易有一反常現象，即在台幣大幅升值後台灣工業產品對美貿易却仍維持大幅出超，而且產品品質在美國的評價反而提升。有學者推斷❽：基本原因爲數年前日幣相對於台幣大幅升值和日本多項產品出口遭美國設限後，許多日商即不擇手段「假道」台灣對美輸出，基本上即以「技術合作」等名義而行「日本製造台灣裝配」之實。平實而論，過去三十餘年來，日本與台灣的工業合作，不管內外銷，大體皆沿用此一方式，難怪我們的工業技術永遠沒有顯著的長進，這不啻是對工業升級的最大諷刺。

第四是產品銷售方式，與上段結果如出一轍，即以先將產品運回原委託國後再行出口之廠商，其外移傾向最明顯（範疇係數達0.54011）。這也充分說明台灣作爲國際加工基地的色彩相當濃厚，顯然這些外資的母國亦以日本居多。第五與第六則爲有無分工廠或轉投資其他行業，由範疇係數的大小顯示答案爲肯定者其外移可能性也大，範疇係數分別爲0.28821及0.38413。

綜言之，國內廠商的海外投資類型與其本身的投資條件有着極爲密切的關

聯，這些條件的影響程度依序是規模、產品、技術、銷售方式、及有無分廠和有無轉投資等六項。基本上產業的外移利弊互見，其主要弊端是將導致失業人口增加及所得與稅收的流失；而其利點則在於可加速國內產業結構的調整並提升工業技術與擴大需求。綜合以上的分析，顯然目前最重要的課題不是干預或壓抑海外投資，而是如何加速改善業已嚴重惡化的投資環境；以及如何加速提昇工業技術水準並擴大國內外的市場需求。

註釋：

❶此一研究主題除了文獻探討中所列的中西文相關文獻外，也可參閱以下兩篇論文：M.I. Logan, "Manufacturing Decentralization in Sydney Metropolitan Area", Econ., Geogr., 44 (3):151－162 (1964)；P.R. Pryde, " The Areal Decentralization of the Soviet Cottontextile Industry ", Geographical Review, 58 (4)：575－592 (1968)。

❷M.E.Streit, " Spatial Association and Economic Linkages Between Industries," Journal of Regional Science, 9：177－187 (1969)。

❸除地方化經濟外，聚集經濟尚包括大規模經濟與都市化經濟，參閱第一章註❶，P.172。

❹魏萼，「台灣經濟發展模式與實證」，台灣經濟研究月刊，7 (11)：69 (1984)。

❺天下及統領雜誌曾先後於民國77及78年分別針對國內一千大製造業和北區企業經理人進行類似調查，其結果也是以勞工問題最令經營者困擾，可詳細參閱天下雜誌，84：44－53 (1988)；統領雜誌，44：35－37 (1989)。

❻例如美方要求我國進一步開放保險業、內陸運輸業、證券投資業及工程營建業等。參閱陸民仁，「經濟升級的契機—挑戰與因應」，光復大陸，254：38 (1988)。

❼薛光濤，「產業外移利弊何在 」，自立晚報78年10月7日第5版。

❽參見邢慕寰，「台灣經濟大國之夢在那裏」，遠見雜誌，43：193 (1989)。

第六章 工業發展內在與外在
環境結構的變遷

6-1 工業環境結構變遷的意義和基本假設

　　本章擬以問卷的統計分析結果爲經，而以現有相關文獻的研究基礎爲緯，來討論台灣工業環境結構的動態變貌。誠如緒論中已提到的，被譽爲世界經濟奇蹟的台灣，經歷四十年的快速發展，整個傳統的社會形貌與區域環境，的確面臨了前所未有的急遽變化，這些變化業已清楚的投影在我們的生活空間。爲了確切掌握台灣整體區域工業環境結構的變遷，乃依檢討相關文獻所得，提出有關工業環境結構變遷要素的若干假設，同時透過企業經營者的填答，即依其對工業環境的識覺與意像，利用統計方法來檢證這些假設。有關這些假設和變項內容參閱問卷中的第五項，即工業發展的內外在環境變化（見附錄）。這樣的設計與填答方式容或失之主觀，然而以經營者長期投入工業生產行列的寶貴經驗和價值系統的累積過濾，彼等對於這些有形或無形的空間現象之認知結果，相信應有其充分的代表意義。當然不能忽視經驗、價值系統及認知態度和實際的環境結構之間會有差距，但是依據247份有效問卷的統計分析，却發現廠商對工業環境識覺的共通性相當高，因此這項顧慮應可予以排除。

　　在進入討論主題與分析方法的介紹之前，有必要先就「工業發展的內外在環境結構」之意涵，以及前段提及的若干假設先予以闡明。所謂環境，是指人類藉以生活以及生存的空間、資源、及其他事物。」❶由這個定義看來，環境不單是指自然環境，它是包括了自然、文化、社會，甚至經濟等層面因子所組成的複合體❷。本文所指的環境特別是指按人類活動情形而分的所謂工業環境而言❸。就

自然環境而言，工業發展會帶來空氣、水或噪音污染等負面衝擊；在文化環境方面，工業發展也可能將新的工業文化引入農村社會，而使農業文化漸被涵化；至於社會環境的轉變則可能更爲複雜而多樣化，例如工業發展帶來大量就業機會，促使鄉村社會的移動性增加，不論職業流動或空間移動均趨頻繁，甚至造成劇烈的城鄉互動與人口重分配現象；最後經濟環境方面，工業發展引進大量人力、資本以及技術革新，這些誘因也會激發地區經濟更趨熱絡與繁榮。綜言之，工業發展對於環境層面的衝擊至深且鉅，不論是直接影響或間接影響，其涵蓋的層面既廣泛而且複雜。因而欲全盤進行研究實屬不易，同時針對每一層面均予討論也非個人能力所及。爰就檢討相關文獻所得，將經歷了半世紀工業化動態發展過程的台灣地區之工業環境，主觀地區分爲內在環境和外在環境兩大部分，來進行討論。爲便於研究之進行，討論重點將圍繞在以下的若干假設前提。也就是說，先把主題限定在以下的假設前提，依此前提，在這樣的封閉系統之下研擬設計問卷，並根據問卷調查結果進行分析討論。

　　本文所謂內外在環境結構，係指透過內在和外在趨力的影響❹，所造成的有形或無形的空間現象，即指在這些趨力影響下的各項內在或外在環境變遷要素而言。特別要強調的是，對內在或外在環境結構要素的認定標準容或因人而異，本文的分類也只是爲方便討論而進行的主觀認定。以下先就一系列的基本假設進行扼要的說明：

　　㈠內在環境結構要素的基本假設

　　1.長期以來，台灣地區由於都市化和工業化作用迅速進行，已使得都市人口
　　　　和工廠分布愈來愈形集中。

　　自工業革命以來，人口向都市集中之趨勢已非常明顯❺。人口快速的都市化，再加上工業化的加速推動，乃引發全面性的人口再分配；同時在人口逐漸向都市集中的過程中，工業發展與工廠分布也如出一轍地，愈來愈形集中。

　　2.就現階段而言，台灣農業受到工業化的影響，已逐漸朝向商品化和精緻化
　　　　的方向發展，同時勞力的分工也愈來愈趨向專業化；另一方面，目前工業

發展環境，因爲受到社會結構變遷和國民收入提高，及勞動觀念的改變等因素的影響，以致於勞工難找，勞動力更加缺乏。

3. 近期以來，由於勞工薪資的大幅成長和土地價格的暴漲，已使製造業的經營日益困難，整體投資條件逐漸惡化。

過去我們所依憑的勞力充足、勞資低廉均已成爲過眼雲烟，近期以來的勞工薪資成長幅度已超過二位數以上❻，而且勞工嚴重短缺，過去刻苦耐勞的敬業態度也已喪失；另方面房價和地價的飆漲也使得經常性業務成本大幅提高；如果再加上台幣升值、勞工運動及環境保護意識高張等因素的影響，確實已使工業投資的整體條件逐漸惡化，而製造業的經營也面臨嚴重困境。

4. 長時期以來過於偏重經濟計劃而不重視空間發展計劃❼，甚至有研究直截了當的指出：沒有明顯的區域政策和區位策略❽，其結果已導致嚴重的區域差距拉大與人口區域成長的極化現象，而且表現在空間上也造成區域經濟結構的不均衡發展❾。以工業分布爲例，由於工業區位政策，均著重於工業本身部門發展的需要，較缺乏區域均衡的考量，以致工業發展集中於大都市或衛星市鎮以及交通主要幹線附近，顯然這對整體都市與區域發展的空間形態有很大的影響。

5. 由於工業生產形態日趨專業化，故工業連鎖和工廠之間的衛星或特約關係相當密切。

由於科技愈來愈進步，工業生產的專業分工也愈來愈精細，由廠商本身包辦全部零組件生產之可能性也愈來愈小。同時產業之間或企業之間的分工也必然日益重要❿。這種連鎖分工對中小企業而言，可使其專注於專業性生產並穩定營運；對大型企業言，則可集中全力從事市場開拓減少許多後顧之憂。因此不管國際分包或國內衛星特約關係，均隨著生產專業化而益趨密切。

(二)外在環境結構要素的基本假設

1. 政府的政策和法令，一直對於台灣的工業發展具有強大的影響力量；同時長期以來，政府在各項重要交通工程建設的廣泛投入，也爲工業發展提供

非常重要的助力；另外，過去因政府「出口導向策略」的成功推動與運作，是「台灣經驗」令世人刮目相看的重要基礎。具體的說，此一假設的目的就是要檢證，政府作爲和政策法令是否確爲影響台灣工業發展的重要因子。

2.由於過去太重視經濟發展而忽視環境保護，以致於目前台灣地區工業公害和環境污染問題相當嚴重。

工業公害和環境污染是經濟發展與社會繁榮所產生的副產品。過去當我們還處在經濟發展的初期階段時，爲謀求國民所得與生活水準的提高，乃致力工業發展和經濟結構的改變。在一味高喊成長，集中力量追求經濟發展的政策下，台灣環境的破壞與危機乃有增無減。長期以來，政府、企業和人民共同胼手胝足編織出的「經濟華服」却也染上污點⓫，帶來了工業污染的後遺症。本文的分析，除檢視問題的嚴重性外，也希望能够徵引先進工業國家，既能達到高成長，却也能做到無公害的寶貴經驗，來做爲借鏡與解決之道。

3.長期以來，農村地區因受到工業化的激烈衝擊，致農村人口嚴重外流，同時農業發展面臨嚴重困境。

雖然工業化所帶來的技術創新、經營效率和迅速的外貿成長均遠非農業所能匹敵，使農業失去主宰產業的地位。質言之，目前農業危機的形成，基本上是由於農業和工業部門的不均衡所導致的⓬。但是揆諸相關的研究，似乎不能否認在有意無意間把農業給犧牲掉了⓭，政府似乎只致力於追求「以農業培養工業」的目標，而沒有履行「以工業發展農業」的諾言。結果使農業部門受到長期的壓擠，不但農村人口受到都市拉力因素的影響而嚴重外流，而且農業發展的潛在力量，也因承受工業部門的層層重壓而面臨嚴重困境。

4.在目前開放的經濟體系中，工廠的營運，很深刻地受到國際經濟景氣變動的影響。

台灣地區幅員不廣，自然資源貧乏，而人口密度又高，乃發展成爲以出口貿易導向爲主的經濟，因此只要出口產品國際市場發生劇烈波動，或主要輸往國家

有任何不利措施，對我們均有極大的影響❶。而這種對外經濟的高度依賴現象，也使企業經營深受國際經濟景氣循環波動的影響。

5.雖然目前國內投資環境有惡化現象，但是台灣的人力素質和市場潛力還是相當被看好。

　　儘管近期以來，國內投資環境受諸多因素的影響已逐漸惡化。然而從近年來出口實績持續發展的現況來看，台灣產品的出口市場潛力仍然不容忽視，畢竟過去曾經擁有21項產品名列出口第一的輝煌紀錄。更何況企業韌性既強且固；若能在遏止投機風氣和建立勞動神聖的觀念上續求宏效，相信工業前景依舊將被看好。

6-2　環境結構變遷因子分析的結果摘要

　　本研究的第二部分即依這十項內外在環境結構要素的基本假設，來構思並設計問卷，共列出二十項要素(詳見附錄2或表6-1)，依據業者的意見，以態度總加量表法之評量方式❺給予得分後建立資料矩陣，問卷所得原始資料經編碼處理後輸入電腦。利用SPSS程式進行因子分析，並以主要因素抽取法取出固有值大於1的因素，結果從20個變量中共抽出九個因子。爲求得較佳之因子結構，本文採用正交轉軸法（Orthogonal Rotation）中最常使用的最大變異法（Varimax Method）❻，表6-1即爲20個變量轉軸後所得的因子負荷量與寄與率摘要表。由表可知這九個因子的共通性相當高，而且依據寄與率和累積寄與率亦可發現，這些變項對於台灣工業環境結構的變遷，具有極高的解釋效果，亦即九個因子已能解釋總變異數的百分之百。而且從因子負荷量來看，幾乎所有較高的因子均與上述的假設相契合。換言之，經此驗證結果，上列的基本假設可以成立，以下再提出一系列證據來加以說明。

　　爲便於分析起見，茲將九個因子的名稱，及其所涵蓋的變項要素、因子負荷量分列於後（表6-1），下節起再分別針對各個因子，提出一系列的證據進行分

表6-1 工業發展內外在環境結構變遷要素因子分析摘要表

變數 因子負荷量	因子1	因子2	因子3	因子4	因子5	因子6	因子7	因子8	因子9	共通性
E1 都市化和工業化作用，使都市人口和工業發展形態集中	.0279	.9579	.0302	.0074	-.0281	-.0475	.1140	.0166	.0066	.9357
E2 農業逐漸商品化，勞力分的分工愈來愈專業化	.0819	.1535	.4631	-.0078	-.1121	-.1225	.1865	.0204	-.0177	.2660
E3 農業難受工業發展影響，但農業發展的前景依然看好	-.0615	.0354	.0168	.2214	.2456	.0377	-.0504	-.0151	.0933	.1264
E4 工廠的經營與運作並不受國際經濟景氣變動的影響	-.0025	-.0790	-.0557	.0796	.0683	.4468	-.1443	.0416	.0344	.2425
E5 工廠的營運深刻地受到國際經濟景氣變動的影響	.1778	.0402	.0702	.0319	-.0825	-.9453	-.0341	-.0084	-.0938	.9497
E6 社會的變遷，使勞工難找，勞動力更加缺乏	.1270	.0773	.8991	-.0067	.0479	-.1320	.0201	-.1355	-.0696	.8739
E7 工業發展在空間分布上已出現明顯的偏頗不均	.0547	.2593	.2970	-.0390	-.7142	-.1064	.2255	.1881	-.0814	.8561
E8 目前全省各地工廠仍相當均衡地平均分布在各縣市	.0223	-.2600	-.1126	.1545	.1443	.1464	-.0011	.0430	-.0189	.1491
E9 過去太重視經濟發展，致目前工業公害與環境污染問題嚴重	.2054	.1293	.1224	-.0336	-.2471	-.1556	.5757	-.1629	.0365	.5205
E10 工業公害和環境污染程度並不嚴重	.0378	-.1840	-.1170	.1581	.1664	.2178	-.2338	.1124	-.0805	.2229
E11 受工業化衝擊、農村人口外流，農業發展面臨嚴重困境	.1332	.3938	-.1407	-.0852	.0290	-.0702	-.0542	-.2846	.0055	.7054
E12 工業連鎖和工廠之間的特約關係相當密切	.1984	-.0312	-.1063	.1103	-.6454	-.1203	.2538	-.6790	-.3300	.7135
E13 台幣升值、工運與環保運動使工業投資條件逐漸惡化	.0725	.0233	.1149	-.4905	-.1530	-.2629	.0917	-.2953	-.1665	.8923
E14 雖然社會審趨多元化，工業投資環境仍會緩慢好轉	.0520	-.1055	-.0173	.8607	-.0038	.0613	.1862	.0928	-.0142	.9570
E15 政府的政策與法令一直對工業具有強大的影響力量	.4268	.0630	.2023	-.1014	-.1147	-.0604	.2470	-.2352	-.1150	.3837
E16 政府在各項重要交通工程建設的投入，為工業提供重要助力	.8846	-.0496	.0712	.1824	-.1502	-.0462	.0138	-.0705	.0040	.8531
E17 政府出口導向策略的成功運作，是台灣經濟發展的基本動力	.7676	.0708	.0068	-.0817	-.0393	-.0715	.3412	-.0674	-.0658	.7329
E18 政府應放寬各種限制，以落實貨幣經濟自由化腳步	.3325	-.0107	.0026	-.1063	-.0989	-.1197	.3772	-.0610	-.2514	.3553
E19 近期以來，勞資和地價高漲，使工業經營日益困難	.0950	-.0215	.0859	-.9152	-.0486	-.1006	.1127	-.1536	-.1542	.9764
E20 台灣的對外市場增力和人力資源仍相當看好	.2327	-.0316	-.1095	.2537	-.1039	.1062	.1167	-.0435	.5583	.8430
寄與率（%）	.1661	.1097	.1012	.0928	.1300	.1025	.1201	.0934	.0842	
累積寄與率（%）	.1661	.2757	.3769	.4698	.5997	.7023	.8224	.9158	1.0000	

資料來源：本研究整理

138

析。

(1)第一因子類型（F1）：政府作爲和政策法令影響力強大
（E16＝0.8846，E17＝0.7676，E15＝0.4268）

(2)第二因子類型（F2）：都市人口和工業發展的集中化（E1＝0.9579）

(3)第三因子類型（F3）：勞工專業化和勞動力愈加缺乏（E6＝0.8991，E
2＝0.4631）

(4)第四因子類型（F4）：工廠營運困難與投資條件惡化
（E19＝－0.9152，E14＝0.8607，E13＝－0.4905）

(5)第五因子類型（F5）：工業發展不均衡和農業困境（E7＝－0.7142，E
11＝－0.6454）

(6)第六因子類型（F6）：工廠營運深受景氣變動影響（E5＝－0.9453，E
4＝0.4468）

(7)第七因子類型（F7）：工業公害和環境污染嚴重（E9＝0.5757）

(8)第八因子類型（F8）：工業連鎖和特約關係密切（E12＝－0.6790）

(9)第九因子類型（F9）：市場潛力和人力素質仍被看好（E20＝0.5583）

以上九個因子，其中第二、三、四、五及第八因子屬於內在環境結構變遷要
素；而第一、六、七、九以及第五因子的第二部分則屬於外在環境結構變遷要
素。

由以上九個因子類型的因子負荷量看來，似乎也避免不了廠商主觀認定的因
素存在，例如政府作爲和政策法令影響力强大位居第一因子。誠如前已述及的，
政策的制定若無相關的社經條件與背景及有利的外在經濟情勢來配合的話，似乎
也將毫無效用；而工業公害與污染嚴重則反而落居第七因子，顯然廠商居於自身
營運獲利因素的考慮，常會漠視外部成本之投入，也有可能推卸製造污染的責
任。質言之，此處的分析還是有限制因素存在，因此以下的分析佐證、乃力求客
觀化，並多徵引相關文獻以做詳實之說明。

6-3 內外在環境結構變遷要素分析

(一)第一因子類型（F1）：政府作爲和政策法令影響力強大

政府決策力量對於經濟成長的重要已如第二章所述，而從表6-1中更可得到進一步證實。在第一因子結構中顯然有三個變量的貢獻程度特別高，分別是E16（政府在各項重大交通工程的投入），E17（出口導向策略的成功是台灣經驗的基本動力）和E15（政策、法令一直具有強大影響力），此三變項均與決策層面密切相關，故合稱之爲「政府作爲和政策法令影響力強大」。Amsden在其「政府和台灣的經濟發展」論文中更明確指出：「儘管台灣經濟發展的成功，部分應歸功於歷史和地緣政治的特殊性，但政府的指導，才是決定性的因素。」[17]換言之，國家機器力量的伸張[18]和政策法令等機制的有效運作，應是創造台灣經驗的最重要因素。

首先談到政策和法令影響力強大（E15＝0.4268，E17＝0.7676）。此一事實可由表6-2的全面性角度的整理縮影得到具體的印證，回顧自日據以來，工業之所以能奠定初步的基礎，先是透過殖民國政策的強力執行，積極推行經濟、產業、運輸和電力建設等各項計畫，而使台灣工業初具雛形。惟因戰局所累，光復之初，工業設備多殘破不堪，生產力極低（表6-2）。政府爲穩定大局，先是積極進行戰後重建與復舊，然後以幣制改革，以黃金做準備，重建人民對貨幣之信心。其後綜觀全期（表6-2）也可發現：從土地改革順利轉移地主資金至工業發展開始；接著是提高關稅，甚至以禁止進口來保護國內市場之進口替代政策。而後透過十九點財經改革，大幅貶低台幣幣值。繼之頒布獎勵投資條例，並設立加工出口區，落實具體之出口擴張策略；而至於今天努力於建立完整之工業體系，尤其重視高科技產業之發展。凡此均足以確切證明如表6-2所示的，政府能夠適時避開不利條件，把握有利環境，並經由一連串甚具前瞻性、而且最適合當時經濟社會條件的工業發展策略的導引，應是創造台灣經驗的最重要助力[19]，廠商將政策及法令因素列爲共同的第一因子，誠然是其來有自。

表6-2　透視半世紀以來的重要工業政策和重要指標（1931—1986）

時　　間	重要政策、法令、計畫及重大交通工程建設	重要指標與發展實況
1931（20）	日據時期殖民地式榨取侵占時期	三井、三菱、藤山三集團獨占性格明顯
1932（21）	農業發展漸飽和，日本倡議工業化	工業產值中糖產值占76％
1933（22）	推行「經濟再編成」計劃，變更農業本位之經濟體制	推動農業改造計畫
1934（23）	設立日月潭第一水力發電工程	發電量10萬kw
1935（24）	舉行「熱帶產業調查委員會」	擴大工業發展範圍
1936（25）	推行「第一次生產力擴充五年計劃」	重視國防與軍需工業
1937（26）	設立日月潭第二水電廠	施行臨時「資金調整法」
1938（27）	設立北部火力發電廠	工業資金及儲蓄額漸增
1939（28）	實行「資金、勞力與物質統制」	充分供給工業所需長短期資金
1940（29）	積極建設高雄、新高（台中）與花蓮港及鐵公路改善	積極補助工業發展
1941（30）	推行「工業振興再企劃」及「交通設施整備擴充方案」	太平洋戰爭爆發，原有工業幾陷癱瘓
1942（31）	推行「第二次生產力擴充五年計劃」	擬定大甲溪電力計劃
1943（32）	推行「中小商工業再編成」計劃	戰爭影響，工業難以順利推展
1944（33）	實行「南糖北米」政策（以濁水溪為界）	民生日用品工業乘機興起
1945（34）	台灣光復，農工生產力低，百業蕭條	電力、交通設施多被破壞
1946（35）	設立高雄煉油廠，積極進行戰後重建	國內生產淨額僅及戰前55％
1947（36）	行憲開始，人口約460萬	市場貸款利息偏高
1948（37）	大陸人口大批來台，四年內達200萬	生產力低，通貨膨脹達1,145％
1949（38）	實施「三七五減租」及「幣制改革」，設「生產管理委員會」	優先發展電力、肥料與紡織工業
1950（39）	確定「以農業培植工業，以工業發展農業」政策	美援開始並恢復對日貿易
1951（40）	實施「公地放領」	地主資金移向工業
1952（41）	加強土地改革、農業技術改良及農村社會建設	農產品占出口總額92％
1953（42）	實施「耕者有其田」，推行「第一期四年經建計畫」	積極展開生產建設計畫
1954（43）	擬定「出口擴張」及「外匯貿易改革」政策	進口替代工業優先發展
1955（44）	推動「五年電力計畫」，石門水庫開工	人纖混紡工業起步
1956（45）	實施「都市平均地權」，興建中橫公路	社會資金轉向工業發展
1957（46）	執行「第二期四年經建計畫」	積極鼓勵農工品出口
1958（47）	設立「工業發展投資研究小組」，實施單一匯率	鼓勵出口並擴大外銷貸款
1959（48）	推出「十九點財經改革方案」，確立財經改革原則	八七水災，中南部13縣市受害嚴重
1960（49）	頒布「獎勵投資條例」	促進民間投資高漲

141

表6-2 （續）

時　間	重 要 政 策 、 法 令 、 計 畫 及 重 大 交 通 工 程 建 設	重 要 指 標 與 發 展 實 況
1961（50）	推動「第三期經建計畫」，以「發展外銷工業」爲策略	從「進口替代」跨入「出口導向」
1962（51）	台視開播，大同公司開始生產T.V	電視裝配工業興起
1963（52）	美援會改組爲「經合會」，台幣對美金匯率固定爲40：1	首次將台幣貶值，以利出口
1964（53）	石門水庫竣工，光復以來首度出現貿易順差	經濟成長率首度超過10％
1965（54）	實施「第四期經建計畫」，美援停止，前後共15億美元	紡織品成爲出口最大宗，占16％
1966（55）	設立「高雄加工出口區」，吸引外資	重工業產值首次超過輕工業，占52％
1967（56）	以農業培植工業策略成功	工業產品出口比重超過60％
1968（57）	成立「賦改會」，對美貿易出現順差	製造業產值比例達24％，農業22％
1969（58）	實施「第五期經建計畫」，以發展電子工業爲目標	農業首次出現負成長－2％
1970（59）	成立「對外貿易發展協會」及「工業局」	連續四年，經濟成長超過11％
1971（60）	設立「楠梓加工出口區」	對外貿易開始大幅出超
1972（61）	頒布「加速農村建設措施」，舉辦「國建會」	農民所得僅及非農家所得的66％
1973（62）	實施「第六期四年經建計畫」，優先發展石化、電子工業	促進農業現代化
1974（63）	實施「穩定當前經濟措施」，推動十大重要建設	經濟衰退，成長率僅及1.1％
1975（64）	石油危機，出口衰退，進出口同時出現負成長	進口－15％，出口－6％
1976（65）	實施「第一期六年經建計畫」，積極拓展貿易	發展資本、技術密集工業
1977（66）	經設會改組「經建會」，推動十二項建設	以發展資訊工業爲重點
1978（67）	成立「中美經濟合作策進會」，經濟成長高達13.9％	出口成長世界第一，達35.7％
1979（68）	開放對東歐五國直接貿易，改採機動匯率	OECD將我國列入四小龍（NICS）
1980（69）	成立「新竹科學工業園區」，全面推動四項重點科技	能源、材料、資訊與自動化
1981（70）	全國經濟會議通過「以資訊工業爲策略性工業」	電腦業因禁電玩而迅速興起
1982（71）	公告1,500種消費品禁向日購買，召開全國科技會議	工業負成長－0.6％
1983（72）	成立「工業自動化服務團」，實施「加強基層建設」方案	台灣共計21項產品列世界第一
1984（73）	提出「國際化、自由化、制度化」號召，推動十四項建設，通過「勞基法」	電機電子產品超過紡織成爲大宗，占22％
1985（74）	積極縮減中美貿易逆差，優先向美採購	對美貿易順差突破100億US$
1986（75）	召開「經革會」，台幣不斷升值，環保意識抬頭	七項資訊電子產品居世界第一

資料來源：本研究整理自：(1)張宗漢，光復前台灣之工業化，台北：聯經出版公司，1980，第1－115頁；
　　　　　(2)天下雜誌，81：128－140（1988）。

至於政府在各項重要交通工程的廣泛投入（ $E16=0.8846$ ），更是經濟活動得以全面擴散的重要助力。誠如前述圖2-1所示，隨著時間演進而漸趨密集的公路網和鐵路縱貫幹線等重要交通動脈，均有效地使勞力、原料及產品迅速流動，也使區域分工和大規模生產成爲可能。回顧民國六十三年，當中東因戰爭而使產油國採禁運措施，爆發第一次石油危機時，政府卻毅然決然自該年一月起，要在五年內完成耗資二千億元的十大建設，當時有人擔憂會加重通貨膨脹，甚至懷疑政府的財力負擔，但是政府還是堅決推動，畢竟這十項中多數屬基本的交通和經濟建設，無論採取何種發展策略，均爲必要的建設。事後證明，在當時國際景氣不佳，民間投資意願低迷下，這十項建設所帶動的大量公共投資，不但刺激國內需求，並發揮了帶動經濟成長、吸收失業人口、培育人才和縮短時空距離的積極效用，而且十大建設更解決了當時因經濟高速成長所引發的基本建設瓶頸。展望未來，無論在鐵路、公路、海洋和航空運輸上，政府也都規劃了長程發展的藍圖，這些計劃例如施工中的南迴鐵路、第二高速公路、台北市區的地下鐵和台北都會區的捷運系統等。至於規劃中的高速鐵路，以及海運和空運的諸多改進課題的逐步推動等，其對國內經濟成長與工業發展，仍將扮演重要角色。總之，政府在各項建設中的施政作爲和推動工業發展的各項策略安排，確是台灣經驗引人側目的最基本原動力。當然，誠如第三章所述，各個階段發展策略的提出，能够全面性的與彼時的社經條件和國際經濟情勢及內外環境相配合，更是工業迅速發展的關鍵因素。更明確的說，各階段整體社經條件醞釀成熟應是工業成長的最重要前提條件。質言之，這一連串政策法令和建設的投入，是台灣工業發展的促進條件與充分條件，而不是必要條件。

(二)第二因子類型（ F2 ）：都市人口和工業發展的集中化

　　第二因子軸中，唯一貢獻程度最高的是由於都市化和工業化的作用，使都市人口和工業發展益形集中（ $E1=0.9579$ ），其他變量均難望其項背。此一事實清楚說明：都市人口的集中一直都是台灣地區最顯著的社會現象，而都市化與工業化更如影隨形深刻地影響台灣地區的空間人口分布。關於都市人口高度集中的主

要原因，有些學者將其歸因於差別的經濟部門發展策略，而導致部門不均衡發展，是農業人口大量外流的主因。他們認為農業長期的受到壓制，而工業及相關貿易部門則快速成長，結果農業部門節節敗退，人口大量移入工業部門[20]。另外林華德透過迴歸分析，發現主因為都市吸引農民移向工業部門，而不是農民無法在農村生活而被推向都市[21]。有關研究也明確指出，農村人口外移後之所以必須向大都會集中，主要是因為都會區內之中心都市擁有陣容龐大的正式和非正式服務部門所致[22]。再以歷年期台閩地區人口統計資料來看（表6-3），台灣地區三級產業就業人口的百分比，其變化情形：第一級人口逐漸衰退減少，第二級人口則反是，呈逐期增加趨勢，唯至近期已呈穩定發展。第三級服務部門則自1961年以前即有相當穩定的就業人口，目前此一比例更已高達42.7％，顯示服務部門仍為都市地區吸引人口流入的最重要部門。綜合以上可知：不管大量的離農人口是被都市中的工業部門吸收也好，或著是被快速膨脹的服務部門吸收也好，二者似乎都同意這種移動基本上是導因於經濟的因素所造成。也就是說，都市是工商業發展的溫床，而都市化透過對工商業的促進而加速經濟之成長，二者互為因果，相互提攜，乃導致人口往都市地區持續不斷的集中。此一現象亦可由圖6-1和表6-4進一步獲得証實。若以都市人口占總人口的百分比代表都市化；而以非農人口占總就業人口百分比代表工業化，則由圖6-1和表6-4中清楚可見二者一直保持穩定的比例發展，而且後期速度加快，工業化的進展尤勝於都市化。顯然在經濟發展的過程中，非農部門所創造的就業機會，一直多於都市的人口增加數[23]。另外從表6-5中也清楚可見台灣都市人口特別集中於北、中、南三區的偏倚性，尤以台北都會區的人口比重最高（表6-6）。而劉錚錚在近期一篇有關「台灣地區人口空間分布與經濟成長之關係」的論文中[24]利用空間吉尼係數來表示人口在空間上的集中程度，結果也發現：自1955至1985的三十年間，台灣地區的人口在空間分布上長期持續地愈來愈集中。

其次討論到變量的第二部分，即工業發展的益形集中。一如前述的，由於四十年來經濟的高度成長，對各區域來說，其經濟社會結構也經歷相當劇烈的變

表6-3　台灣地區三級產業就業人口百分比（1961－1986）

年　度	1961	1966	1971	1976	1981	1986
第一級產業就業人口百分比	50.8	49.7	42.3	34.6	33.1	23.4
第二級產業就業人口百分比	12.7	13.5	18.1	26.0	31.2	33.9
第三級產業就業人口百分比	36.5	36.8	39.6	39.4	35.7	42.7
合　計	100	100	100	100	100	100

資料來源：1961－1976年資料取自各年期中華民國台灣省人口統計，1981及1986年資料則
　　　　　取自該兩期台閩地區人統計。

表6-4　臺灣都市人口和非農就業人口佔總人口的比例：1950－1986

年度	1950	1955	1960	1965	1970	1975	1980	1986
非農就業人口佔總就業人口百分比	36.16	38.87	43.54	49.42	54.51	62.45	71.08	76.60
都市人口佔總人口數百分比	29.25	31.87	36.21	39.79	45.72	53.11	58.95	74.27

資料來源：本文第二章註㉒，第113頁；1986年取自內政部，台閩地區人口統計，1987，第228
　　　　　頁。

表6-5　臺灣本島各區域都市人口佔全島總人口百分比：1952－1986

區域 年度	1952	1955	1960	1965	1970	1975	1980	1986
北　部	14.41	16.07	18.57	21.07	23.28	27.35	30.63	35.86
中　部	4.53	4.64	5.24	5.83	8.20	10.11	11.31	15.09
南　部	9.43	10.14	11.31	11.75	13.09	14.33	15.81	21.41
東　部	0.88	1.02	1.09	1.14	1.15	1.32	1.20	1.91
全　島	29.25	31.87	36.21	39.79	45.72	53.11	58.95	74.27

資料來源：同表6-4，第114頁；1986年取自經建會都住處，都市及區域發展統計彙
　　　　　編，1987，第1－12頁。

表6-6　臺北市20公里半徑以內的都市人口 ＃ ：1952－1980

年　度	1952	1955	1960	1965	1970	1975	1980
佔北部都市人口百分比	64.19	65.53	69.14	69.29	71.74	72.36	72.87
佔全島都市人口百分比	31.62	33.04	35.46	36.69	36.53	37.26	37.86
佔全島總人口百分比	9.25	10.53	12.84	14.60	16.70	19.79	22.32

資料來源：同表6-4，第115頁。
＃ 包括臺北市和臺北縣的板橋市、三重市、中和市、永和市、新店市、新莊市、樹林鎮、
　 土城鄉、蘆州鄉和泰山鄉等十個市、鄉、鎮。

動。尤其是各地迅速都市化的結果，導致人口普遍而大量湧向都市，一般認為工業急速發展及其用地之擴張，應係促成這種結構變動的主要原因㉕。早期由於工業用地大量增加，加以都市地區具有強烈的中樞管理機能和各種聚集經濟利益，乃使工廠大量的往都市集中或累積。許多研究㉖和前述第四章的討論均證實台灣早期的工業發展（特別是指民國40到55年），其分布是由相對分散趨勢傾向於相對集中，其中尤以民國55年工業分布的集中程度最大，其後才漸由相對集中傾向於相對分散，不過這種分散，仍以偏向都會區外圍之衛星市鎮為發展重心。若以歷次（民國43－65年共五次）普查中五大都市工業員工數占全台工業員工數的比例來看，其百分比均遠高於五大都市總人口數占台灣地區人口數的百分比，故台灣地區工業分布明顯地集中於五大都市地區㉗。至於工業分布變遷的過程則已於第四章詳予討論。

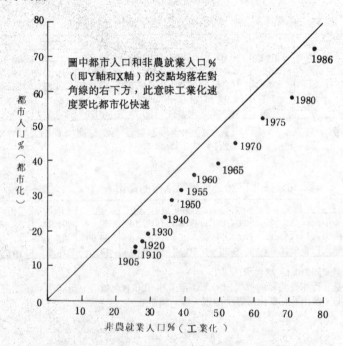

圖6-1　台灣都市人口與非農就業人口的比例

從都市人口和工業發展的集中化事實觀之，台灣地區都市體系的發展確已產生偏差；而區域經濟也已明顯拉大不均衡現象。也難怪不管中央或省府都把「促進人口和產業的合理分布」以及「均衡地方經濟發展」列爲現階段施政的重要課題❷。

(三)第三因子類型（F3）：勞工專業化和勞動力愈加缺乏

在第三因子結構中，貢獻程度最大的分別是由於社會變遷，使勞工難求，勞動力愈加缺乏（E6＝0.8991）和農業商品化，勞力分工愈來愈專業化（E2＝0.4631），二者均與勞工性質的改變有關，乃歸併爲「勞工專業化和勞動力愈加缺乏」。

誠如吾人所週知的，過去農業部門所提供的大量資本支持工業發展，達成「以農業培養工業」的政策目標。後來政府又積極推行「以工業發展農業」的政策措施，加速農業現代化，以期能逐漸提高農家所得❷。爲達成此目的，乃必須尋求生產技術、品種和農場經營方式的改善❸。隨著農業生產著眼於工業原料及外銷作物之生產，使農業經營趨向企業化，於是農產品商品化比率逐漸提高❸。易言之，農業經營已漸由自給自足的傳統方式，逐漸轉變爲追求利潤之企業化組織與經營。農業商品化必然也伴隨帶來精緻化發展，其結果將使農民的經濟活動力增強，副業盛行，也使大量剩餘農村勞力轉移到其他產業部門。然後隨著農家所得提高，農民對非農產品的消費急遽增加，乃刺激工商業部門不斷擴大生產，於是百業興起，整個社會之累積資本更形加速，間接促進各種建設性之投資，擴大整個經濟之發展。

隨著農業對於經濟發展的積極促進作用，也使得工業活動迅速膨脹而集中，以台灣來看，透過早期進口替代策略之運作，而使各區工業的空間聚集更形顯著（已如前述），緊接著再隨輻射狀交通網路的開發而不斷加強，也藉此連結更廣大的市場，結果將使都市化經濟更趨穩固。同時因市場迅速擴張，經濟的專門化和勞工的專業化將隨職業結構的分化而益趨顯著❷。根據此一演變過程似乎可以推論：在早期的勞力密集工業擅場時期，這種空間分工與專業化（指勞動力）會

逐漸突顯，到後期當積極推動技術與資本密集工業以後，可以想像的是，由於對高科技人員的質與量的需求大幅增加，必然促成勞工市場更趨於分化㉝。同時勞工技術的分化也更爲精細，畢竟這種勞工的專業化與精細分工有助於生產效率的提升，尤其是當規模經濟愈大時愈明顯㉞。如果一個地區整個生產系統的空間組織關係密切，亦即工業間的連鎖關係與區域分工緊密結合，那麼上述的現象將更爲顯著㉟。

除了勞工專業化以外，另一個當前工業環境變遷中最嚴重的課題，也是廠商抱怨最多的便是勞動力短缺、勞工難求的問題。如表6-1所示，此一變量的因子負荷量高達0.8991，顯示問題確實相當嚴重。實際上台灣勞動短缺的現象並非始自今日㊱，只是於今尤烈罷了！不同的是過去只是結構性勞動短缺；今天則已演變成全面性的勞力短缺了。一般而言，台灣地區每逢經濟高度繁榮時期，工商各業對勞力之需求即明顯擴大，當勞力供應受人口因素所限，無法立即相應擴大時，即呈現勞力不足現象㊲。現階段國內對外貿易仍然繼續成長，加以政府積極推動14項建設及民間營造業繁榮，乃使基層勞力之需求大幅增加，就業市場因而面臨勞力嚴重短缺的現象。此一現象迄今並未因經濟成長趨於緩和而稍紓解，行政院主計處與經濟部曾分別於76和77年調查產業界勞力缺乏的實況，結果顯示問題依然嚴重㊳。經調查電子與紡織二業，影響其投資意願的主要因素時也發現，勞工短缺仍爲主因，在所有247家廠商中共有237家回答了此一困難（占95.6％）（表5-8）。勞力短缺形成的原因至爲複雜，以下略作簡要分析：

過去依恃充沛人力並拜賴勞力密集產業之賜，使出口工業快速成長，也大幅提高國民所得。但曾幾何時，社會快速變遷，服務業乘勢興起，吸引大批青年勞力投入。再加上勞動需求隨經濟的進步而增強，但勞動的供給並未增加，尤其是整個社會又遭逢不良風氣與金錢遊戲的腐蝕，過去足以傲人的敬業態度已面臨嚴格考驗。最後根本原因還是在於產業結構轉型緩慢，迄今主要出口產品仍以勞力密集產品爲主，如果出口維持暢旺，這類工業對基層勞力的需求也會持續增加，一旦勞動力供給減弱，加以服務業的競爭，勞力不足將愈發嚴重。因此適量引進外

籍勞工（事實上今天已經進來很多）確能解目前燃眉之急。畢竟我們的生活水準已漸提昇，藉此亦可提供其他第三世界國家就業機會，然而引進後的種種問題亦宜加以防杜，否則未蒙其利，先受其害；諸如阻礙勞動條件的合理化及工業技術升級之速度等。因此根本解決之道，還是在於加速產業升級，並樹立正確的職業觀念，積極匡正已陷入「急於致富」和「坐享其成」之泥淖中的不良社會風氣。

〔四〕第四因子類型（F4）：營運困難與投資條件惡化

就第四因子而言，相關程度較高的包括E19、E14和E13，而且三個變量的因子負荷量出現兩極化現象，其中E14爲正面敘述，出現在正軸結構。其餘二者爲負面敘述，均出現在負軸。分別是「近期以來，勞資和地價高漲，使工業經營日益困難」（E19＝－0.9152），「台幣升值、工運和環保運動使工業投資條件逐漸惡化」（E13＝－0.4905）。由此共通因子可以證實：近期以來，國內投資環境確實已經逐漸惡化，而且工廠的營運益形困難。

最近以來，由於國內勞工市場出現諸多問題；例如勞工薪資大幅上揚、勞資關係對立和勞工嚴重缺乏等，均逐漸危害到國內投資環境。工資的大幅上漲，例如過去兩年紡織業的員工薪資提高了15－20％，勞工成本因而大增，目前東南亞地區工資僅爲台灣1／10，大陸地區工資更只及台灣的1／20。已使我國原本得天獨厚的勞力密集型產業，喪失比較利益優勢，同時更面臨開發中國家以及中共的競爭壓力；至於勞資關係的惡化和工人難求更使許多企業「出走」海外㊴。其次地價與房價的飛漲，也使許多業者將業務和廠房合併，搬出市中心區，根據調查同業間合併現象也甚爲普遍，充分顯示經常成本（Overhead cost）支出的提高已使營運益形困難。

另外由前章表5-8更顯示，影響目前國內投資意願的主要因素有三：依序是勞工短缺、台幣升值和環保問題，三個因素合占總數的90％。其中前兩項對工廠營運的打擊尤大。以勞工問題而言，如果廠商能在欠缺比較優勢的激勵下，藉「自動化」由勞力密集型脫胎換骨爲資本密集型，則對國內產業不但無害，反而有利。亦即當勞動成本大幅提高時，產業圖存的唯一作法，就是必須改

變生產結構，增加資本設備，減少勞工僱用，以求取最低成本的「生產要素組合」，否則只有隨波逐流，被迫自然淘汰了。

至於新台幣升值，固然銳減企業的生產利潤，但若深一層觀察，過去新台幣低估時廠商在產量上大幅擴充，乃導致出超激增；等新台幣大幅升值後，生產成本因匯率而提高，中小企業被迫改採「量少、質高、樣多」的產品路線，也促成提高出口產品附加價值的正面效果⑩。

最後勞工和環保運動對投資環境的打擊也相當嚴重。勞工運動的產生與勞工權益長期被壓抑有關，尤其在勞基法施行以前更是如此。另方面國內企業界長期以來在政府保護之下形成聯合壟斷現象，而且享有很高的利潤，這也間接造成勞工意識的高張，透過工會或其他組織聯合起來反抗業主，勞工爲爭取權益、提高待遇的呼聲乃使工運接連不斷；其次環保運動則是在所得與生活水準提高後，環境惡化到讓一般大衆難以忍受的程度，再加上整個社會趨向多元化與自由化，政治參與的熱潮更方興未艾。是以從鹿港反杜邦設廠以來，全省環保運動風起雲湧，迄未中止。而目前紛擾不斷的勞資衝突、環保糾紛，甚至引發暴力事件，凡此皆嚴重影響投資意願以及投資計畫的進行。例如核四能否興建將影響未來發電量；五輕或六輕能否動工也將影響石化業的優勢地位，這些都與投資環境密切相關，唯至今猶未能解決。難怪連大企業如台塑集團也而有緊縮國內投資並進行外移設廠的打算！因之，如何檢討並加速改善國內投資環境，似已不容須庚緩。

(五)第五因子類型（F5）：負面衝擊因子

第五因子軸中，負荷量居前兩位的，分別是E7＝－0.7142（工業發展在空間上偏頗不均），和E11＝－0.6454（工業化的衝擊使農村與農業面臨困境）。由於二者均係負面因素，故名之爲「負面衝擊因子」。

有關工業發展的不均衡現象，已於第二因子中討論，此處再略作說明。如前所述，以往國內工業發展缺乏明顯的區位政策，政府爲鼓勵工業發展，對工業區位的選定也未予嚴格限制，均任由企業依其比較利益以及在自由經濟和追求利潤的前提下自由選址設廠。這點或許在先進國家也不例外，因此人口衆多且較具工

業發展基礎的台北、台中及高雄等少數地區，即成爲工業活動的主要集中地帶。由於工業發展活動集中於上述少數地區，使這些原已發展密集地區之產業更形集中，乃形成急遽向外擴張現象，如今更已演化成七大工業聚集地帶（圖4-3）。這種空間經濟不均衡勢將助長人口極化成長現象，並拉大區域差距而有違區域均富之目標。職是之故，後來政府乃強化各地經濟與交通建設及產業發展條件，並積極開發工業區，提供工業用地。工業發展在後期乃漸出現分散化趨勢，唯目前集中於台北、台中、台南和高雄四大都會區的現象依然嚴重，其所引發的交通、都市與環境污染等問題迄未解決。因此工業分布應與人口及資源分布相配合，並依各地方生活圈需要引進適合發展之產業類型，以期逐漸消彌兩極化的區域失衡現象。

至於工業化對於農村結構和農業發展的衝擊也相當嚴重。早期台灣農業的奠基對工業有直接貢獻[41]，甚至可以說農業扶植了國內工業雛形[42]。因爲從1895－1960年台灣農業部門一直有大量的資本流入非農業部門，而造成非農部門的相對擴張，這是民國五十年代中期以後工業得以起飛的重要原因[43]。具體而言，在進口替代的策略中，農産品外銷所得外匯償付了進口的工業生產物資；而出口替代策略更要求農業提供出口產業充分的糧食資源和充沛的農村外流勞力[44]。就在農業全力奉獻之餘，農業危機却已顯露無遺，目前甚至有愈演愈烈的趨勢。

就農村結構而言，工業化導致農村人口大量外移與農業勞力老化，由於工商繁榮，勞力需求增加。農村青年爲求較高報酬乃紛紛離農離村，勞動力大量外流的結果，不但造成農村勞力不足，引起農村工資上漲，影響農業生產，抑且降低農場勞力品質，導致農業勞力老化與女性化。雖然農村人口外流對非農所得和兼業收入有其經濟評價，例如以農家所得來源來看，農業淨收入由1966年的66％一路下降至1980年的26％，而非農薪資收人則達52％。而目前農家所得更僅及非農家所得的60－70％[45]，而且農業外收入仍在增加之中。同時農村沒落對於政治和社會方面也有負面影響。總之，受工業化影響使農村社會呈現一幅衰退淒凉的景象。再者，過去農政單位的不受重視，例如早期最高農業行政單位爲農發會，並

非正式單位。後來雖納進經濟部的農業司，但也只是聊備一格而已，其他如民國68年起推行的稻穀保證價格以及肥料換穀制度等，表面上似乎均爲了保護農業，實則均爲限制農業發展的一種手段。綜言之，農業似乎在有意無意間被犧牲掉了。

至於農業方面的危機則更爲深刻，農業的困境主要表現在農業投資明顯不足、農業收益相對降低、基層農會功能喪失、農產品產銷失調、國外農畜產品入侵和農業資源遭受公害污染的腐蝕等幾個層面[46]。

從整體經濟發展來看，農業部門的衰退確有其必然性。因爲農業資本與勞力大量流入非農部門，農業投資與收益又相對偏低，於是農、工業不平衡更趨嚴重，農業發展更加困難。再加上基層農會組織重信用部而輕推廣與供銷業務，致功能漸失；而長期以來，農產品的產銷、供需失調，無法有效平衡，使農產價格難臻穩定，農民權益與利潤倍受侵蝕；如今更面臨貿易自由化以及爲平衡逆差，而承受外來農畜產品的強大壓力。若再把工業貿易的問題轉嫁到農業上似乎並不公平，畢竟台灣農業技術投入已達飽和，提高單位面積生產力的可能性已達不再具有經濟效益的邊際，因而小農決不能再加以犧牲[47]。最後一項困境是工業公害對農業資源的腐蝕，隨著工業高度發展，各地農地的水污染、重金屬污染也日趨嚴重，若不能有效予以控制，則其影響層面將不僅是農業資源而已，也將危及全民的健康。

(六)第六因子類型（F6）：工廠營運深受景氣變動影響

在第六因子軸中，貢獻較大的是「工廠營運深受景氣變動的影響」（E5＝－0.9453），至於負面敘述的E4，其負荷量也高，但出現在正軸，因此可以判定：國內廠商的營運深受國際經濟景氣變動的影響。

所謂景氣變動，是指社會經濟的發展，其經濟變量會隨時間而表現出一種長期增加的趨勢，但這種趨勢時高時低，而產生周而復始的波動現象，通常景氣循環可分繁榮、衰退、蕭條和復甦期四個階段[48]。誠如前述，台灣經濟以出口爲導向，在出口擴張持續發展過程中，出口值占國內生產毛額的比例逐漸提高，形成

很高的對外經濟依賴現象；同時因加工出口的發展速度太快，國內的原料和零件工業的發展相對緩慢，對原料及零件之進口依賴繼續偏高，乃形成產品出口及原料進口的雙重依賴現象❹。這種高度依賴極易導致國內經濟的不安定，例如在1950及1970年代台灣都曾遭逢世界景氣不佳所形成的物價波動和產量波動現象。以物價波動來看，由於雙重依賴，世界性的物價膨脹必然也會經由進口和出口兩個管道衝擊國內物價水準。至於產量波動，世界貿易一向集中在工業國家，而工業國家迄今仍無法擺脫經濟景氣循環波動的威脅。當其處於繁榮階段，進口需求量大幅增加，我國的出口量也隨之擴大，國內產量必然相對激增；當其處於衰退階段，進口需要減少，國內出口也相對減縮。因此處在開放經濟體系下的台灣，工業發展和廠商的經營運作均深受景氣波動的影響。

以圖6-2和圖6-3進一步觀察，此一事實尤爲明顯。圖6-2－3是按GNP、進出口及工業成長率而繪的趨勢圖。大致言四項指標的長期發展趨勢約略相當，也一致表現出深受世界經濟景氣好壞影響之特徵，此一特徵尤其深刻地表現在以出口聞名的加工出口區之就業成長率上（見圖6-4），高雄加工區新設時成長率最高，民國57年創下最高峰，其後即逐年衰減，於61年楠梓區完成後曾達另一高峰，此後即每況愈下，而於63年衰退到谷底；楠梓區更從最高點降至最低點，此正是石油危機引發的國際通貨混亂，美元的貶值對原料及半成品幾賴進口的加工區而言，勢必提高各項輸入成本，乃造成前所未有的衝擊❺。66年第二次再遭世界經濟衰退的波及，成長率也明顯下跌，而近年來受到國際景氣低迷的影響，就業成長也進入低成長期。

(七)第七因子類型（F7）：工業公害和環境污染嚴重

就第七因子而言，其因子負荷量最高的是E9＝0.5757，此一變量的內容是由於過去太重視經濟發展而忽視環境保護，以致於目前工業公害和環境污染問題相當嚴重。亦即工業的高度發展，已導致全面性的環境破壞。

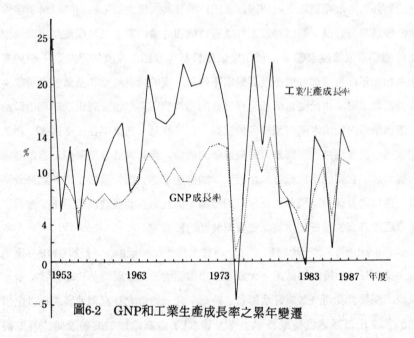

圖6-2　GNP和工業生產成長率之累年變遷

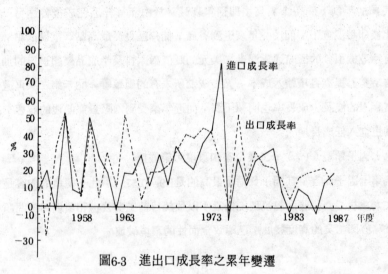

圖6-3　進出口成長率之累年變遷

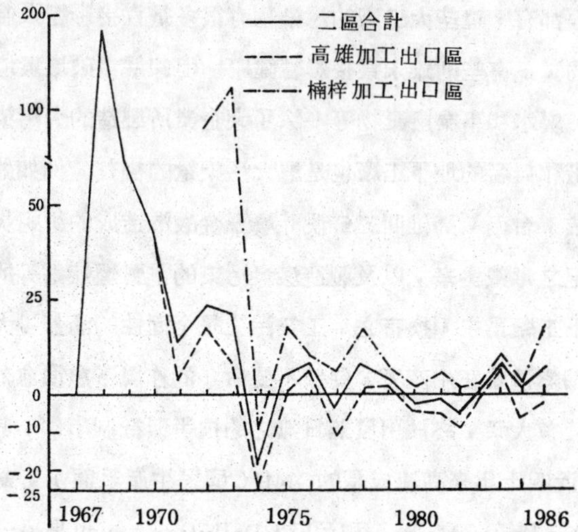

圖6-4　高雄加工出口區就業成長率的累年變遷

大凡任何國家在經濟發展初期，都會集中全力追求成長，遂無足够財力與人力來處理公害和保護環境；而當時技術與國民所得水準落後，既無法充分解決公害，對環境問題亦未予重視。但是當經濟發展階段升高，所得與生活水準相對提高後，若未能及時處理公害問題並保護環境，將對社會產生負面影響，目前就已面臨工業「成長」與「反成長」的情結[51]，亦即實物成長與環境、景觀及資源的衝突日趨明顯。由於我們幅員有限，只要經濟繼續發展，類似的困擾將不斷發生，甚至愈演愈烈。由此一發展歷程來看，目前我們確已進入工業發展與環境保護必須兼籌並顧的重要時刻。

環視目前台灣地區工業污染的現況，確實已達相當嚴重的地步。廿年來台灣工廠增加了近九萬家（表4-1），工廠密度委實偏高，更何況除登記有案之工廠外，尚有爲數衆多之地下工廠，更增加污染嚴重性。天下雜誌曾經整理出[52]多數污染廠商，都屬政府認定的十五項嚴重污染工業，他們多半是製造工業原料的

中、上游廠商，涵蓋的範圍極廣，包括煉油、化工、金屬、塑膠、製藥、造紙、紡織染整、水泥等都有。這些大工廠的污染物有很多是直接影響人體健康，甚至還含有不少致癌物質；有些則雖未直接影響健康，但卻嚴重破壞環境品質，例如大量的工業廢氣、廢水和事業廢棄物等；除了大企業所製造的大污染外，到處林立的中小企業工廠和無名的地下工廠也是龐大污染量的禍首。例如嚴重污染中、南部河川的電鍍業，台南、高雄間二仁溪畔廢五金酸洗造成的綠蚵災害，燃燒廢電纜所引起的世紀之毒戴奧辛，以及製造煤炭污染的電弧爐煉鋼等的業主，都以中小型企業或地下工廠爲主。換言之，工業污染是全面性的涵蓋了大、中、小型工業，污染的長期累積就在生產者「要錢不要命」的作風下愈演愈烈，把社會成本無情的轉嫁到社會大衆，終於引發無日無之的抗爭與抵制事件，其影響可說至深且鉅。的確，近四十年來高速成長的GNP（國民生產毛額），却是由嚴重的垃圾（Garbage）、噪音（Noise）和污染（Pollution），也是另一個GNP所換來的❺❸。

反觀工業先進國家，他們對工業污染的防治標準遠高於我們，但其業者在遵守各項標準下仍能擁有高度成長，顯然這方面我們是力有未逮。今天歐美所孕育的新潮流正是「如何控制這個共同敵人—環境破壞」，有關的研究更指出地球環境對策才是世界經濟的恢復策略❺❹。易言之，工業成長與環境並不一定是對立的，甚至透過環境對策來提升能源使用效率，更可促進經濟發展。明乎此，那麼我們目前最迫切的莫過於加速社會立法，嚴訂防污標準，同時從嚴要求廠商直接負擔社會成本，並列入其生產成本之內。唯有嚴格要求此種外部成本由製造外部不經濟（公害污染）之業主承擔；或投入資金改善設備、技術，降低污染；或課巨額罰款，制裁製造公害之經濟行爲，亦即使公害污染的外部成本內在化（Internalized）。唯其如此，庶幾能夠逐漸克服公害污染，甚至學習日本既能達成經濟快速成長，也能控制環境破壞，而被譽爲「世界綠洲」❺❺的寶貴經驗。由此觀之，我們確宜儘速破除環境保護必將阻礙經濟發展之神話。相反的，透過嚴密的環境保護，更將有助於加速工業升級的脚步。

(八)第八因子類型（F8）：工業連鎖和特約關係密切

第八因子軸顯然是以E12＝－0.6790，其貢獻程度最高，即指「工業連鎖和工廠之間的特約關係相當密切」。誠如第四章所述，本研究調查的247家工廠樣本，共有175家具有連鎖與分包的互補關係，比例高達71％（表4-8）。爲進一步解釋此連鎖因子，乃就調查所得以紡織和電子工業爲例略作說明。

以紡織業中的毛衣生產爲例，其分工體系通常可細分爲三，即包括貿易商、毛衣生產廠商和代工廠（包括家庭工廠或家庭副業）。一般均由台北貿易商接單，然後委由各地生產廠商負責原料與代工的協調，最基本的生產單位即毛衣代工，也包括紡紗、織片、縫合及洗燙整理等。通常以家庭工廠或副業方式生產，這種外包代工可說是台灣納入國際分工環節中最基本的組織架構，在早期出口替代期扮演了重要角色；至於電子業的中小企業合作體系尤爲緊密，早期加工層次簡單，等於是基本電子裝配廠。目前則隨著資訊產品需求量擴增，電子加工層次與附加價值不斷提高，相對的資本設備與專業化程度也相形提高。專業化提高後，電子工業的協力生產架構更形穩固，而代工生產關係也有由下層往上層遞增的情形。誠如許多經營者所說：只要委託的大廠對於外發代工或家庭代工廠多予技術指導，並嚴格要求品管，相信這種緊密的分工體系也有助於電子工業的技術升級。最後有一點尚須一提的是電子業中OEM的生產方式仍極普遍，許多日美外資自其國內進口關鍵原材料，委託或逕行在此地設廠加工後再運回母國，重新貼上原廠商標再出口，使台灣成爲名符其實的國際加工基地。長遠來看，這種「日製或美製而台裝」的生產方式，顯然有違工業升級要旨。因之如何減少對日美等國原材料的依賴程度，仍爲目前的切要課題。

(九)第九因子類型（F9）：市場與人力資源仍被看好

最後第九因子軸中負荷量最高的也是最後一個因素，即E20，亦即「台灣對外市場潛力與人力素質仍然相當被看好」。由此一要素在20個因素中也列爲影響工業環境變化要素看來，國內廠商對於未來的企業生機似乎仍懷抱著無限憧憬，畢竟他們胼手胝足的慘淡經營，才使我們的經濟建設從「無」到「有」，獲致斐

然可觀的成就。然而面對開放而敏感的經濟體系，加以眼前多數企業對風險投資已不感興趣，甚至投入金錢遊戲（如股市）行列，連過去對台灣工業發展曾有重大貢獻的員工也被吸引，導致工業界人力缺乏，致原已持續上揚的工資竄升得更快，實已嚴重影響投資環境。因此市場潛力與人力資源雖仍被看好，但此一假設成立的前提仍然是在於：從速匡正扭轉變已變質的社會風氣，使人力資源導入企業經營與生產事業之正途。否則工業發展將面臨更多的挑戰與困難。

6-4　工業發展和環境結構變遷的未來趨勢

綜合上述各章，本文從區位、時間、經濟、空間和綜合等五個層面，分別考察並檢視了台灣工業發展歷程的量變和工業環境結構變遷的質變過程。從根本上看來，本研究所歸納勾勒出的這些變化，不管就工業發展或區域發展言均饒具意義。首先就量變的意義看，台灣地區的工業發歷程，從原始、掠奪、藩鎮而至近世封建經濟，可說深具邊陲依賴特色；戰後則是在有計劃的經濟體制和策略推動與導引下，循序漸進逐步達成每一個階段的預期目標，也順利完成各階段的結構性轉變。此外，各時期工業發展的運作機制，也都如預期般的，透過組織機構與民間業者健全的互動關係而配合得相當良好。然而現階段的工業發展，却也無可避免的由高度成長而走向低度成長期。

值此轉型階段，加以全球經濟又面臨再結構，而且也面對新國際分工體系，因之工業結構如何超越提升便成爲刻不容緩的重要課題。基本上政府推動高附加價值以及資本、技術與知識密集之策略性工業的積極政策值得肯定，但面對占絕大多數的中小企業（94％以上），其輔導發展工作如何落實、工業技術如何移轉和改進；以及產品銷售和技術勞力如何提升等，也都亟須速謀改善。而證諸許多研究也顯示：台灣在國際分工中的技術依賴程度仍未有結構性改變⑥⑥，顯示工業升級和研究發展工作似乎仍然力有未逮。因此，台灣做爲有活力的亞洲經濟體之一，允宜加速提升其在國際分工中的技術地位。

其次就工業發展空間變化在量變上的意義而言，由上面的分析和所提供的證據，似乎已有足夠的理由可以肯定：台灣地區的區域政策，特別是工業區位政策，雖然在早期被批評爲只著重經濟計劃以及工業本身部門之發展需要，而無明顯的區域政策和區位策略。本研究也顯示早期工業聚集現象至爲明顯，但到了中期以後（指1976年以後），此種空間經濟的失衡與偏差已經有所調整，而且有逐漸朝規劃目標邁進的趨向。準此以觀，而目前都會地區的都市化不經濟愈益突顯，而使工業分散化步調正與時俱增中，若能賡續積極推動區域均衡發展策略，例如更積極落實18個地方生活圈的工業用地規劃和引進，特別是針對位置偏遠的生活圈採取據點開發策略，同時也妥善推動新興工業發展地帶的工業成長與建設 ❺⃝，那麼空間經濟失衡現象或可逐步獲得有效改善。

依據工業環境結構變遷的分析結果和變遷特性也充分顯示：從巨視角度看，不論內外在環境結構均已產生劇烈變化，同時這些變化均已成爲區域發展上亟待解決和克服的重大課題。例如就內在環境而言，長久以來都市人口和工業發展的集中化，業已逐漸擴大區域間的都市化和工業化水準的差距，因而爲達到民生主義所揭櫫的區域均富目標，絕不能任令此種都市化和工業化的空間過程持續發展下去；至於就外在環境言，過去在有意無意間犧牲農業、犧牲環境，而遷就經濟與工業發展的結果，危機已然顯現。尤其已讓我們的環境品質嚴重惡化、農業困境益爲突顯，而此二者正是未來工業能否繼續發展的最嚴酷考驗。因之，如何扭轉並解決這兩個嚴重課題至關重要。

至於從微視的環境層面看，今天廠商所面臨的內、外在投資環境確已面對史無前例的激烈衝擊。處在開放經濟體系下的台灣工業，不但深受世界經濟景氣的影響，而且由於內、外在投資條件的惡化，使得工廠的營運更加困難。雖然本研究結果也顯示：廠商對於國內市場潛力和人力資源仍持樂觀看法，然而如果諸多經濟和非經濟性衝擊因素未能妥善而有效解決，則非但工業發展前景極不樂觀，整體經濟的發展恐亦將持續低迷下去。

最後綜合本文研究結果作成圖6-5的運作機制圖，以下的討論即依循此一發

展模式，就前述各章所得結果進行邏輯化推演。同時根據量化分析結果闡述並推測台灣工業發展和環境結構變化的未來趨勢與展望：

首先看經濟與工業發展機制的變遷，台灣是由民國四十年代推展農產品出口並發展進口替代工業；五十年代以後所採取的外資引進政策，逐漸帶動工業開發效果，經濟循環由內向轉爲外向（對外主導），達成結構上的變化和質的變化；而五十年代中期以後（1965－1974）更在出口擴張的工業化下，達成工業的高度成長；到第一次石油危機（1973）以後造成不安定成長；眼前則仍在低成長期徘徊。工業發展階段演變至今，雖然屬於附加價值較低的勞力密集加工業之資本累積形態仍將繼續，但根據本文分析屬於高附加價值、高所得彈性的電子電機、化學、基本金屬及運輸等業將是未來主導產業，同時這些重化工業的投資比例也將繼續擴增。質言之，台灣工業發展的未來趨向將無可避免的由過去純粹產品數量的增加而轉移到工業結構與品質的加強與進步上。而衡諸先進國家工業發展經驗和世界產業發展趨勢㊳，由於全球性的科技競爭日趨激烈，高科技工業的發展將是未來產業擴張的關鍵要素。因此台灣工業結構的改變，似將逐步邁向技術主導、資本主導，亦即知識加工企業的必然歸趨。但証之今天對先進工業國家的高度技術依賴，實應加強科技移轉並增強本身之技術吸收能力，進而提昇自主技術層次。換言之，現階段的重要工作一方面是強化中小型工業體質，逐漸提高其生產力；再方面則應針對未來明星工業或骨幹工業縝密規劃，並慎選具高度發展潛力的主力工業，使台灣真正成爲深具高科技特色之經濟體。這些悠關工業形態改變的重要課題，似乎頗值有關當局深思。

其次再從工業發展空間機制的變遷看，台灣工業在區域空間的動態變化，早期是從分開散立而漸向大都會（尤其是台北和高雄）聚集；民國50年代起工業聚集點伴隨都市化的進展而一再地擴大，乃形成北中南三大聚集帶；到民國60年代中期以後，此三大聚集中心再向外圍擴散，進而在民國70年代初期逐漸分集形成全省七大聚集地帶；而目前則已漸由原先分集的向心發展逐漸趨向離心發展的態勢。由此一量化結果可以推知：在可預見的未來，工業發展的空間演變似仍將朝

向分散化和郊區化方向發展。而根據量化分析結果，也可預測台灣台北、新竹、台中、台南與高雄等五大都會的分散速度與範圍都將與時俱進，其中尤以台北和高雄兩大都會區爲然。因應此一趨勢，再証之日本與韓國努力於工業發展的地方分散之成功經驗㉟，由於台北市是最具中樞管理機能的核心地區，且正如第四章的分析所指出的：北桃竹苗工業走廊仍將是台灣工業發展的重心，同時未來台北都會區的工業仍將以台北爲中心向外圍周邊各縣市擴散。而其他都會區如台中、台南、高雄等也將出現類似發展趨勢，政府實宜就都會地區的工業之地方分散從長計議。或透過立法來限制、或以更積極的獎勵措施，以恢宏均衡區域經濟發展的效果。

　　至於環境結構變遷的機制，下面擬依第五章因子分析結果，歸納如圖6-5的五個層面試作簡要的推測：就政策層面言，如果未來政府能繼續配合整體社會經濟條件，並洞察世界經濟情勢的演變趨勢，而適時提出合宜的政策來妥善因應，相信政策機制、政府作爲和法令內涵仍將是引導工業發展的重要助力。準此以觀，現階段如何全面落實國際化、自由化以及制度化發展政策，應爲最迫切的重要課題；其次從區位層面看，由於都市體系發展的偏差和都市地區擁有較佳的工業區位利益。因之都市人口和工業發展的集中化，愈加拉大區域經濟失衡現象。因此除非中央或省府的「促進人口與產業合理分布」及「均衡地方經濟發展」兩大策略能克竟全功，否則短期內此種區域不均與偏差將暫難獲得有效改善；再就勞工層面言，由於農業商品化和勞工專業化將益爲強化，而技術革新將使勞動生產力增加，勞工的勞動時間縮短，再加上國內社會急遽變遷和金錢遊戲風行，乃使勞工嚴重短缺、勞動條件更加惡化；此外，內外在不利因素的交相衝擊將使投資條件更爲惡化，如果投資環境不能有效改善，將使工廠營運更爲困難；至於最後的環境層面，未來工業污染的全面管制和環境品質的嚴密控制已可預見，因爲只有環境價值的確保才是保障未來實質經濟成長的最佳憑証。明乎此，則如何研擬一套週詳的環境對策，以挽救現存的環境危機亦爲當務之急。

工業發展的經濟機制之變遷（時間）	空間發展機制之變遷（空間）	環境結構機制之變遷（環境）
1.摸索調整時期（進口補助與替代）	1.工業由分開散立而漸趨聚集	1.政策層面
2.高度成長時期（出口替代與擴張）	2.工業聚集點逐漸形成並擴大	2.區位層面
3.不安定成長時期（全面出口擴張）	3.由聚集趨向分集（向心趨向離心發展）	3.勞工層面
4.低成長時期（進口與出口並重）	4.工業由分集朝向分散化發展	4.經營層面
		5.環境層面
工業發展的未來趨勢與展望	空間變遷的未來趨勢	環境結構變遷的未來趨勢

圖6-5　台灣工業發展的時空過程與環境變遷之運作機制

註釋：

❶沈中仁，環境學，台北：大中國圖書公司，1976，第4頁。

❷張長義、廖正宏等，台灣北部沿海工業區環境影響評估示範計劃—社會經濟環境影響評估研究報告，行政院衛生署環保局委託台大地理研究所與農業推廣研究所研究，1982，第1頁。

❸同上註，第5頁。

❹吳達暉，台北市住宅街區商業群聚結構之研究—從生態觀點探討，台大土木工程學研究所碩士論文，1986年，第112頁。

❺李棟明，「都市化颱風圈—人口都市化過程之剖析」，東方雜誌復刊，2（9）：57（1969）。

❻根據經濟部的統計民國77年平均勞工薪資的漲幅為10.6％，參閱聯合報，78年2月12日第4版。以紡織業為例，從1978到1988年，平均工資在10年間上漲了三倍之多，詳見經濟日報，77年9月15日第14版。

❼姜渝生，「台灣地區運輸規劃的檢討與展望」，1989年民間國建會，台灣空間發展的挑戰組，台北：國家政策研究資料中心，1989，第1－9頁。

❽同第二章註㊺，第73頁。或參閱賴光政，台灣地區製造業發展與工業區位政策之研訂，台北：行政院經建會都市及住宅發展處，1985，第102頁。

❾同第二章註㉒，第9頁。

❿許士軍、司達達賢、陳明璋，我國衛星工廠體系之探討。台北：行政院研考會，1979，第9－11頁。

⓫吳迎春，「經濟華服上的污點—誰該為工業污染負責」，天下雜誌，65：12（1986）。

⓬黃俊傑，「光復後台灣的農業、農村與農民：回顧與展望」，見中國論壇編輯委員會主編，台灣地區社會變遷與文化發展，台北：中國論壇社，1985，第271頁。

⓭這方面的深入討論可以下面兩篇論文為代表：蕭新煌，「台灣地區農業政策的檢討與展望—事實與解釋」，見朱岑樓主編，我國社會的變遷與發展，台北：東大圖書公司，1981，第491

—526頁。

Hong—chin Tsai, "Development Policy and Internal Migration in Taiwan," Journal of population Studies, 2：28—30（1978）.

⑭李國鼎，「一個參加經濟設計老兵的回顧與前瞻」，見陸民仁主編，台灣經濟發展總論，台北：聯經出版公司，1975，第41頁。

⑮這裏所謂評分方式，是就每一項變遷要素，依廠商認知意見的強弱程度，每個項目答極同意者給5分，同意給4分，無意見者給3分，不同意者給2分，極不同意者給1分。参閱吳聰賢，「態度量表的建立」，見楊國樞等主編，社會及行爲科學研究法（上册），台北：東華書局，1983，第463—491頁。

⑯同第一章註㊿。

⑰A.H. Amsden原著，龐建國譯，「政府與台灣的經濟發展」，收錄於丁庭宇、馬康莊主編，台灣社會變遷的經驗——一個新興的工業社會，台北：巨流圖書公司，1986，第87頁。

⑱引自陳志悟，空間變遷的社會分析—以日本殖民時期的宜蘭地景爲個案，台灣大學土木工程研究所博士論文，1988，第54頁。

⑲這方面的詳細討論，可參閱李高朝、蕭國輝，「我國工業發展之經驗」，中華戰略學刊，七十八年冬季刊，1989，第24—47頁。

⑳持這種看法的相關研究例如：

劉克智，台灣人口成長與經濟發展，台北：聯經出版公司，1975，第72—91頁。

吳聰賢，「農民離村與農業人口之關係」，農大農學院研究報告，14（2）：143（1973）。

李棟明，「台灣農村人口外流及其背景之研究」，台灣文獻，26（3）：146（1975）。

廖正宏，「台灣農村勞力移動之研究」，台銀季刊，28（4）：182（1977）；「鄉村人口外移對台灣農村的影響」，楊國樞、葉啓政編，當前台灣社會問題，台北：巨流圖書公司，1979，第188頁。

崔永楫、林太龍，「工業化與都市化對台灣農村人力移動之影響」，李誠主編，台灣人力資源論文集，台北：聯經出版公司，1975，第572頁。

㉑林華德，台灣兩元性經濟的發展策略一戰後台灣經濟的實証分析，台灣研究叢刊第116種，台

北：台銀經濟研究室，1978，第86－88頁。

㉒同第二章註㉒，第101－103頁。

㉓同註㉒，第111－115頁。

㉔劉鈴鈴，「台灣地區人口空間分布與經濟成長之關係」，台銀季刊，40（1）：359（1989）。

㉕林澤田，「台灣都市與工業區位之研究」，台銀季刊，24(3)：51（1973）；台灣之都市區域與工業區位，台北，銀來圖書公司，1973，第3－42頁。

㉖詳閱第一章註❿，李穗玲、鍾懿萍等人的著作；或參閱唐富藏，「台灣工業地區性分散發展之研究」，台灣工業發展會議上冊，台北：中研院經濟研究所，1983，第237－302頁。

㉗李薰楓，台灣地區製造業區位變遷的計量研究。台灣研究叢刊第118種，台北：台銀經濟研究室，1983，第15－20頁。

㉘參閱台灣地區綜合開發計畫概要，台北：行政院經建會，1979，第2頁；台灣省均衡地方經濟發展方案。南投：台灣省政府經動會，1987，第1頁。

㉙余玉賢，「農業的十字路口」，中華學術與現代叢書，八、經濟學論集，台北：中國文化大學出版部，1980，第639－651頁。

㉚邊裕淵，「工業化與農家所得分配」，中央研究院三民主義研究所專題選刊（二十），1979，第二頁。

㉛陳希煌，「台灣小農之經濟分析」，余玉賢主編，台灣農業發展論文集，台北：聯經出版公司，1975，第367－368頁。

㉜拙著，「工業化和工業區域結構的研究理念」，師大地理教育，13：118（1987）。

㉝陳昭南透過所得分配的指標，也有類似研究發現，參閱陳昭南，「民生主義與所得分配」，中央研究院三民主義研究所專題選刊（三十二），1980，第8頁。

㉞有關勞工專業化與勞力分工的深入討論也可參閱第一章註㉞，第153－157頁；或註本章㉞，第25－30頁。

㉟同上註。

㊱有些研究已經證實早在1960年代末期及1970年代早期，由於1952年以來一直維持高度經濟成

長率，已使台灣由勞力過剩經濟轉變成勞力不足的經濟，甚至當時就已出現結構性勞力短缺的現象，參閱孫震，「台灣地區工資結構及工資政策」，第517－518頁；李誠，「台灣現階段勞動短缺之研究」，李誠主編，台灣人力資源論文集，台北：聯經出版公司，1975，第191－192頁。

㊲經建會人力規劃處，「當前勞力短缺現象之形成與對策」，自由中國之工業，71（5）：17－25（1979）。

㊳同上註。

㊴陳文龍，「當前投資環境的危機與轉機」，統領雜誌，44：9（1989）。

㊵同上註，第10頁。

㊶李登輝，「台灣農工部門間之資本流通」，見余玉賢主編，台灣農業發展論文集，台北：聯經出版公司，1975，第229－251頁。

㊷同本章註⑬蕭新煌著，第497頁。

㊸同本章註㊶。

㊹同本章註㊷。

㊺廖正宏、黃俊傑、蕭新煌，「光復後台灣農業政策的改變——歷史與社會的分析」，中央研究院民族學研究所專刊乙種第18種，1986，第27及36頁。

㊻這方面的深入分析可參閱張訓舜，「加速農村建設重要措施推動情形」，台灣農業，9（2）：1－6（1973）；蕭國和，台灣農業興衰四十年，台北：自立晚報，1988，第51－75頁。

㊼參考陳其南，「小農不是談判籌碼」，聯合報77年4月28日第三版。

㊽陸民仁，經濟學，台北：三民書局，1983，第450－457頁。

㊾林鐘雄，「開放經濟下的經濟問題」，見中國論壇編輯委員會主編，台灣地區社會變遷與文化發展，台北：中國論壇社，1985，第219－221頁。

㊿拙著，「高雄加工出口區的工業發展」，台銀季刊，34（2）：181（1983）。

(51)石齊平，「解開工業「成長」與「反成長」的情結」，中國時報73年4月13日第2版。

(52)同本章註⑪，第12－40頁。

(53)趙耀東，「適應當前需要國家經濟建設的重點」，自由中國之工業，62（4）：11－12（

1984）。

㉞小野田猛史著，嚴勝雄譯，「地球環境對策乃爲世界經濟之恢復策略」，日經雜誌（Nikkei Business），10：128－133（1989）；譯者原稿尚未發表。

㉟同上註。

㊱參閱第二章註㊺，第4－10頁；或參閱吳志炎等，工業升級指標年度報告，台北：台灣經濟研究所，1989，第3頁。

㊲行政院經建會都市及住宅發展處，台灣地區綜合開發計劃，第十章，工業發展，1988，第10－1～10－22頁。

㊳劉泰英、吳志炎等，從先進國家工業發展過程及趨勢展望我國未來工業發展方向之研究，行政院經建會部門計劃處委託。台北：台灣經濟研究所，1985，第44及100頁。

㊴日本工業是以東京爲中心向周邊地區擴散，參閱村田喜代治，「東京產業構造之變貌」，地域開發，9：21－23（1988）；韓國工業則是以漢城爲中心向四周分散，參閱Wong－Yong Kwon," A Study of the Economic Impact of Industrial Relocation：the case of Seoul," Urban Studies，18：79－82（1980）。

第七章　摘要結論、建議與後續研究

7-1　摘要與結論

　　本文主要旨趣在於追溯探討台灣地區工業發展的背景條件和時空過程，並闡明其階段性的變遷情形；其次討論國內工業投資環境的變化及其因應作法；最後則究明工業發展之內外在環境結構的變遷及其意涵。全文通過地理學觀點，以官方資料和實地訪問調查爲基礎，使用多項區域經濟分析指標以及多變量統計中的因子分析和數量化 II 類分析，並配合相關文獻加以闡釋。綜合上述各章，可將研究結果摘述如下：

　　台灣地區在工業區位理論分析上所強調的交通、原料、勞工、聚集經濟及環境等五項區位因素，均具備優越條件。而六項背景條件配合得宜以及五項非經濟因素的相得益彰，更是工業化成功不可或缺的基礎。基本上台灣工業發展經歷了清代重商主義下的糖茶加工業、日據時代殖民主義經濟和戰後資本主義經濟下的工業發展三大階段。其運作的主要機制爲：清領時期具濃厚的邊陲依賴色彩，唯劉銘傳主台七年，頗具前瞻性地推動若干工業與交通建設；日據時期則透過多項制度與興革，強化電力、給水、港口、鐵路、通信以及生產力和工業技術等，這些社會投資與間接成本的投入確爲戰後工業化的建立，提供相當重要的基礎；戰後階段則經歷工業摸索調整、高度成長、不安定成長與低度成長等四個時期的演變。基本上其機制是先進口補助，然後進口替代與出口替代，繼之以出口擴張，目前則進出口並重。而發展的主導工業是先民生工業，然後勞力密集加工業與重化工業，到後期因面對全球經濟再結構之變動等外在因素之衝擊，乃使台灣工業邁向高附加價值與資本及技術與知識密集之途徑。

　　台灣工業化的進展既穩定而且快速，以結構變化係數、錢納利法及霍夫曼比

率三項指標分析其結構性轉變顯示：工業結構從早期以食品、紡織等輕工業轉向後期以電子電機、基本金屬、運輸及化學爲主，顯示重化工業已取代輕工業成爲主導部門。四十年代（1953－1960）工業生產結構變化係數爲21.8％，中期（五十年代即1961－1975）升高爲29.2％，最後再升高至全期（1953－1986）結構變化係數高達67％。台灣地區長期以來的出口導向型工業化與新國際分工密不可分，並透過工業用地的編定和工業區的設置、加工區的設立、國際分包的強化和外資的引進等四項機制，以國際加工基地的形態納入世界經濟分工體系。然則外商並不願見台灣建立自主的工業基礎，雖然台灣是依賴理論的異例，然而其技術與貿易的依賴特質依舊明顯。若非政府組織機構與民間企業之間，在成長過程中健全的互動關係，決無目前在世界體系中的重要地位。目前仍是在美、日兩大市場的垂直分工系統下，不可或缺的零組件工業之重要供應地（圖3－5）。而在其先輕後重、先勞力密集後技術與資本密集工業之發展過程中，亦可歸納出各發展階段的主要代表性工業：在四十年代（1953－1963）的摸索調整期以食品、紡織、化學及非金屬爲主；高度成長期（1964－1973）則以電子電機、紡織、化學、基本金屬及運輸等爲代表工業，顯然此期重化工業比重已漸突顯；到不安定成長期（1974－1979）和目前的低成長期（1980年以後）此一趨勢更爲明朗且強化。在這些代表性工業中，尤以紡織與電子電機工業最爲典型，兩業先後成爲國內第一大出口產業。前者由興盛而趨於衰退，目前約占工業總生產值的9.4％，比起過去曾高占20％以上的高比重已不可同日而語。至於後者則反是，30餘年來一直呈現相當一致的穩定成長，爲成長最快的工業，從早期微不足道，到目前電子電機業產值比重已高達15.6％。此二業合計占總工業產值的四分之一（25％），也合占總就業數的30％，故本研究選擇此二業做爲深入調查分析的對象。

　　以工廠數、員工數、生產值和工廠用地四項指標分析台灣地區各縣市的工業發展，不論前期（指1961－1966，延伸至1971）及後期（1981－1986）一直是以台北縣市、桃園縣、台中縣和彰化縣以及台南縣等六縣市爲工業成長中心。比較

特殊的是，高雄市的工廠和員工就業比率有下降現象，但其產值和工廠用地在前後兩期的排列順位均列前茅，顯示其工廠和員工雖少，但工業結構却偏重集中於重化工業之特徵。而透過區域經濟分析的數項指標（包括過剩員工、吉尼係數、雜異指數、吉馬指數及區位商數），經研究結果顯示：台灣工業發展的空間過程有其階段性差異和空間重組之強烈色彩，基本上前期是由分散設立而漸向南北兩大都會群聚，中期出現中部第三聚集帶，後期則由向心改變方向成離心發展，進而形成目前台灣七大工業聚集地帶（圖4-3）。而不論就業別或區域空間角度言，台灣工業發展也呈現由前期的相對集中而發展成後期的相對分散之濃厚色彩，而且分散化的幅度正與時俱增。推究其因，當與下列三者有關：其一爲都市土地分區使用管制（Zoning）的嚴格執行和都市計畫的變更，使舊有工廠紛紛外遷，或改爲住宅、商業或其他利用，以謀求更高經濟利益；其次前期相對集中受工業生產方式的空間連結影響很大，由於關聯工業的空間聚集使分工更爲緊密。後期則因鄉村地區運輸、公共設施、電力的投入及教育水準的提高，使工業分散化更爲明顯，而工業區的大量開發也是工業散布的重要原因；其三則與都市化不經濟有密切關係，諸如農業土地等則限制趨於嚴格、設廠條件愈見苛刻，以及都市地價飛漲、交通擁塞、住宅擁擠、工業污染嚴重、工資水準和稅收太高、服務業的興起和政府未對工業用地作完善投資與規劃等。

　　紡織與電子工業是台灣工業發展的縮影，前者早期因結合了美援、原料、技術、人才、資金及勞工等有利條件而迅速興起，但隨著工資大幅上漲與國外保護主義高張，其已由盛極而轉爲衰退；至於後者因其市場需求殷切，加以政府將其列爲策略性工業，故呈高度成長，早已凌駕紡織而成爲最重要的出口產業。至於二者的空間變化，紡織由前期的零星散布發展成後期的相對集中，尤以北區和中區最重要；至於電子業則一直均以北部工業帶爲核心，迄今仍以台北、桃園及新竹爲分布重心。本研究調查樣本遍布北、中、南三區，但以前兩區爲調查重點。

　　分析調查樣本特性顯示：紡織業以民國53－62年設廠者居多（占34.7％），電子業則以近期（72－78年）設立者居多（占31.2％），此正顯示二者景氣期互

易的情況。而兩業有近半數共104家設有分工廠，且有三成半的廠商已轉投資其他行業，同時四成以上的經營者其產品均有擴充或增加，規模也相對擴大，顯示廠商相當重視內部經濟和最適生產規模的調整與尋求。兩業併計中小企業比例高達94.3％，雖然資金籌措不易，但也有機動靈活、應變能力強的優點。兩業合計也有七成以上廠商（70.9％）其產品與零組件有外發代工情形，其中電子業外包比例更高達82.2％，紡織業爲53％。而臨時外包比例也分別占38.8％及27.4％。至於市場指向，目前仍以美、日及歐洲爲主要市場，調查結果也顯示兩業市場均已漸趨分散，紡織因面對更大的國際競爭壓力，其分散步調尤較電子業爲快。最後是技術來源，電子業來自美、日者合占36％，來自國內者占35％，也有16％的廠商自行開發技術。充分反映國內廠商已漸重視研究發展，但受限於資金及研展工作的不確定因素，致多數業者仍躑躅不前，而以仿造爲尚，故技術來自國內者仍占達三成半。而同一比例紡織更高占93％，調查發現這些工廠多屬中游紡紗織布業者，多數廠商都曾任其他工廠員工，習得技術後自行設廠經營者。此種營運形態自乏創新可能，而僅以模仿製造爲主。因之政府如何輔導獎勵業者進行新產品設計，並以融資優惠鼓勵更新設備以提高競爭力，似仍爲最重要努力方向。

　　以因子分析得知國內代表性工業廠商的區位選擇，以「傳統區位因素」、「環境和公共設施」、「市場潛力和都市資訊」、「公害處理」及「技工與土地」等五項複合因素爲主要考慮，由累積寄與率可判知台灣目前整體設廠區位條件尚稱理想。但此一分析結果係依廠商的認知意見所做的處理，其與實際設廠條件必有某種程度的差距，例如各業工廠對公害認定標準不一、對地下水的取得容易與否、以及對技術性勞工和熟練技師的需求程度等必然會有很大的不同，而其反應也不會一致，此一課題尚待未來進一步加以釐清。至於區位轉移，不論北中南三區均出現明顯的分散化和郊區化現象（圖5-1），而且兩項業別各有其集中設廠趨勢。至於遷廠原因則主受「工業疏散化和公害處理」、「擴廠需要和原廠環境不佳」、「交通擁擠、設施不佳及僱工不易」和「聚集經濟」等四個因子類型之影響。由投資意願的每況愈下顯示：國內工業投資環境受到勞工短缺、自力救濟

、環保意識和過分的拜金主義及治安惡化等內在因素的衝擊；和保護主義、台幣大幅升值及取消貿易障礙等外在因素二者的交相侵逼，已使投資環境急遽惡化。或謂此為工業演進過程中轉型期的必然陣痛，果能在此陣痛之後，政府能適時調整並改變政策逐漸朝技術升級的方向努力，我們方能期待這些困境與問題迎刃而解。

目前已有兩成廠商避走海外，也有四成廠商準備或考慮外移。經進一步探究電子業已經到海外設廠的17家廠商，以及進行中或考慮外移的77家工廠，結果發現：除了少數幾家廠商屬電子資訊之技術層次較高外，其餘大多為電腦週邊設備廠商，最多的是電子零組件及元件裝配廠商，少數生產電機產品。亦即大多屬技術層次低，同時缺乏升級意願，若不尋求海外投資幾無競爭能力之廠商。而紡織業海外投資設廠現況之分析，其結果也與電子業相類似。但在面臨困境時多數廠商（63％）也已積極進行應變，除了採用傳統克難的應變措施外，他們往往透過營運管理（共139家，占34.1％）、勞工僱用（共121家，占29.6％）、自動化（共91家，占22.3％）和原料使用（共57家，占14％）等四方面透過具體的措施和作法，進行有效的應變。

由海外投資金額的急遽增加顯見海外投資熱潮正方興未艾，其投資趨向以泰國、馬來西亞和中國大陸為主要指向。兩業投資偏好略異：其中電子業以前往泰國（25.8％）、馬來西亞（22.6％）、大陸（18.5％）及菲律賓（8.1％）為主；紡織業則依序為泰國（23.5％）、中國大陸（16.7％）、菲律賓（16.3％）、印尼（13.1％）及馬來西亞（12.4％）等。藉數量化Ⅱ類進行海外投資類型的判別分析，得知產業是否外移與六項投資條件有密切關係，依範疇係數之全距大小可知：其影響強度由大而小依次序分別是工廠規模、產品類型、技術來源、產品銷售方式、有無分工廠和有無轉投資等（全距由最高的2.35577至最低的0.51546不等）。由分析結果也得知長期以來與外資的工業合作關係似宜儘速謀求調整，像「日製台裝」就是我們工業升級的陷阱，否則台灣只有長久淪為國際加工基地而徒乎負負了。基本上產業外移或海外投資利弊互見，我們的關鍵作為仍在於提昇

工業技術水準和擴大國內外市場需求。

所謂工業發展的內外在環境結構，乃指在工業發展的內在和外在趨力影響下，所形成的各項內在和外在環境變遷要素而言。本文先建立內外在環境結構要素的十項基本假設，並據此構思問卷，列出20項要素，以態度總加量表法建立資料矩陣進行因子分析。結果共抽出九項因子，由累積寄與率發現這九項因子對台灣工業環境結構變遷，具有相當高的解釋效果（表6-1）。

綜言之，被譽為經濟奇蹟的台灣，在歷經40年快速工業發展，整個傳統社會形貌和區域環境，確已產生前所未有的劇烈變化，這些變遷清楚地投影在以下各層面：

首先透視半世紀以來台灣重要的工業政策和重要指標（1931-1986），顯示國家機器力量的伸張和政策法令等機制的有效運作，是創造台灣經驗的重要因素，是故政府作為和政策法令影響力強大列為第一因子；但不容否認的是：由於在各個發展階段，整個台灣地區的整體社會及經濟條件的醞釀成熟，以及國際經濟情勢與內外條件的密切配合，更是工業快速成長的前提條件。亦即一連串重要政策法令和施政措施逐項投入，應是台灣工業發展的促進條件與充分條件，而不是必要條件。長期以來，都市化與工業化如影隨形的深刻影響台灣地區的空間人口分布。從都市人口與工業分布的集中化現象觀之，顯示台灣都市體系與區域經濟的偏差與失衡現象益趨嚴重，此為第二因子。其三是由於農業的商品化和勞工的專業化，再加上社會變遷、金錢遊戲風行，使勞動力缺乏愈形嚴重。第四因子為受到諸多內外因素的衝擊，國內投資條件益趨惡化，工廠營運益形困難；第五因子涵蓋了兩個負面衝擊因素，即工業發展在空間上的偏頗不均和工業化的激烈衝擊，已使農村結構和農業發展面臨嚴重困境，顯然其引發的後續問題不容忽視。

在開放的經濟體系下，台灣工業又表現出對產品出口和原料進口的雙重依賴特徵，致其發展深受世界景氣影響，而廠商營運亦深受景氣變動的波及（第六因子）。而過去一味追求經濟成長，太重視經濟發展而忽視環境保護，以致目前工

業公害和環境污染問題相當嚴重（第七因子）。質言之，我們高度經濟成長却是由全面性的環境破壞所換來的，畢竟最重要的還是：唯有嚴謹的環境對策才是經濟恢復成長的憑藉。最後兩項因子分別是：由於科技進步，工業生產形態日趨專業化，故工業連鎖和工廠之間的衛星或特約關係相當密切（第八因子）；至於對外市場潛力和人力資源仍被看好（第九因子），此一假設的成立代表國內廠商仍然對未來的企業生機充滿期盼與憧憬。因此其前提仍在於：加速有效匡正業已逐漸變質腐蝕的社會風氣，使人力資源導入企業經營與生產事業之正途。

總之，台灣工業發展的未來趨向將由過去純粹產品數量之增加而轉移到工業結構與品質的提升和進步。而衡諸先進國家工業發展經驗和世界產業趨勢，高科技工業發展將是未來產業擴張的關鍵要素。因之台灣工業結構將逐步邁向技術主導、資本主導，亦即知識加工企業的必然歸趨。藉由空間變遷的量化分析亦可推知工業的空間變化仍將朝向分散化和郊區化方向發展，同時台北、新竹、台中、台南與高雄等五大都會的分散速度與範圍都將與時俱進。至於環境結構變遷機制的未來趨勢，不論就政策、區位、勞工、經營及環境等層面的未來變化，均有賴政府配合各項社經及內外條件之演變，而適時提出合宜的發展策略以爲因應，方能針對各項重要課題提出有效的解決方案，庶幾能達成區域均富之目標。

7-2 政策性建議

根據本研究的結果和發現，提出以下若干建議，以供相關決策或規劃單位參考。

㈠面對全球經濟的再結構和亞洲經濟圈的形成，台灣在新國際分工體系下仍將是世界多國籍企業衛星工廠生產體系中，零組件工業的重要供應地。但因台灣在國際分工體系中的技術依賴程度仍高，故工業結構如何超越提升、工業生產如何繼續提高技術層次，以及追求一流的企業管理、服務、品質及形象，仍爲現階段亟待加強的重要課題。政府宜針對這些重要課題提出縝密的

計畫和具體做法，以提升台灣在美、日兩大垂直分工系統下的技術地位。同時有鑒於知識加工企業是工業發展的必然歸趨，允宜透過政府主導，並結合相關研究機構和民間企業的力量，廣泛投入加強研究發展和生產技術的革新，以期全面提高產品附加價值，而建立高度精密的資本與技術密集之工業結構。至於如何縝密規劃未來骨幹工業和主力工業，以使台灣成爲具高科技特色之經濟實體，亦爲迫切課題。

㈡其次是面對占了國內企業總數達94％以上的衆多中小企業的輔導問題，基本上，根據本研究調查發現：多數中小企業廠商對於政府輔導中小企業發展的工作如何落實、政府和相關學術研究機構所獲研究成果與工業技術如何移轉給中小企業或提供做爲技術改進的參考、以及產品的銷售和技術層次如何提升等課題，都有著非常殷切的期盼。而這些問題實悠關爲數衆多的中小企業能否轉型或升級。因此建議政府能做長遠的規劃，提出具體有效的輔導辦法，並適時提出示範，讓中小企業有所依循。而有鑒於企業的大型化可以帶動產業轉型，建議政府應以更積極的作法來鼓勵企業的合併或併購。畢竟中小企業的競爭力與附加價值均遠不如大型企業。此外也可仿照日本部分大企業與無數衛星廠共存共榮的經驗，亦可透過政府力量，積極輔導獎勵大企業透過「中心衛星工廠」體系原理，扶持並協助中小企業逐漸轉型或升級。

㈢台灣地區工業發展空間分析顯示：台灣也跟許多先進國家一樣，早期基於自由經濟與利潤追求之考量，偏重經濟計畫之有效執行與工業部門發展之需要，致無明顯的工業發展之區域政策與區位策略，故早期工業集中偏頗的現象極爲明顯。但在中期（1976年以後）策略有所調整加強後，此種空間經濟失衡現象已經略有改善，但距離均衡目標尚遠。有鑒於都會地區都市化不經濟愈益突顯，而證諸本文研究結果所顯示的：台灣五大都會（台北、新竹、台中、台南和高雄）的工業分散化和郊區化步調與幅度，均正與時俱增中，因此建議政府能賡續加強推動區域均衡發展政策。有關當局尤應盡速研擬五大都會地區工業分散化和郊區化的具體措施和方案，針對五大都會工業發展

特性，就工業分散的距離與方向，進行妥善完整的規劃，期使工業的離心發展能因勢利導，而逐漸消彌空間經濟偏差現象，並減少都市化不經濟的負面衝擊。也可透過立法來限制工業發展，同時以更積極的獎勵措施來恢宏均衡區域經濟之效果。

㈣工業區位轉移的分析顯示：調查樣本中曾經遷廠的比例幾達半數（48.6％），而其遷移的方向和目的地也頗符合政府的工業疏散化政策。再者針對廠商對其設廠區位利益的評估更趨審慎，而過去政府的工業用地規劃並未克竟全功。同時鑒於有愈來愈多的廠商樂於前往都市計畫工業區內和全省各地的計畫工業區投資設廠。乃建議有關主管單位在都市地區應更積極設置較完整的工業公寓，期使都市內不適發展的工廠順利遷移至都市計畫的工業區內作垂直安置，藉以維持都市地區居住品質，並期使地下工廠對整個環境品質的破壞減至最少程度，而其他都會區的衛星市鎮亦可做如是安排，以確保環境品質。其次應加速貫徹「工業分布應與地方生活圈之發展相結合」之規劃理念與目標，並積極落實18個地方生活圈的工業用地規劃與引進。對社經發展緩慢及位置較偏遠的圈域，尤應妥善規劃，對出售率偏低且位於偏遠地區的工業區，可透過特別優惠與獎勵方式，以引導各地方生活圈的工業發展漸趨均衡。

㈤由於內外在因素的交互衝擊，已使國內投資環境嚴重惡化。許多廠商迫於憂患重重，且比較利益盡失，乃走避東南亞及大陸。本研究發現：已經赴海外投資的兩成廠商和考慮出走的四成業者，這些工廠除少數屬科技層次較高的資訊電子業者外，其餘大多屬技術層次較低，而且已無升級意願之廠商。準此，若能順勢藉自然淘汰方式必對國內工業升級有所助益。因此建議：對於傳統勞力密集之加工裝配工業，既已面臨諸多不利因素，政府可在不干預情形下允其轉移至東南亞國家或大陸地區，以借用當地廉價而豐沛的人力來降低成本。再配合國內廠商所掌握的市場與管理或較高層次的技術，相信仍可維持台灣產品的競爭能力。再者，爲提昇技術來源與層次，並積極延攬科技

人才，似可結合政府與民間大企業轉赴科技工業先進國投資設廠，以掌握國際市場與行銷網路，而促進國際化政策的落實與成功。

有鑒於海外投資與大陸投資方興未艾，許多廠商迫於現實經營環境，非往外遷廠不足以謀生存，基於大陸勞資便宜（目前工資約當每月新台幣250－750元），又與我們同文同種，雖因共產制度之積習致生產效率較低。但比之東南亞或其他地區，中國人仍算勤儉耐勞。且基於吾人不去，屆時若由他國如日、韓等國捷足先登，甚至建立其原料供應基地後，對國內工業恐更爲不利，故建議繼續放寬大陸投資限制和進口原料（如原棉進口）之限制，並提出更明確的大陸經貿政策。

㈥工業環境結構變遷的分析顯示：經歷近半世紀的工業發展，整體內外在環境結構均已急遽發生變化，這些變化更已成爲區域發展上亟須解決的重大課題。例如長期以來都市人口和工業發展的集中化，業已擴大區域間都市化和工業化水準之差距。爲達到民生主義所揭櫫的區域均富目標，絕不能任令此種都市化與工業化空間過程持續惡化下去，而克服之道仍在於均衡各地方生活圈的工業與就業投資，以及其他各項公共設施在各圈域的利益均霑上著手，唯其如此方能使各地方生活圈的都市與工業發展潛力充分發揮，提供更多的就業與就學機會，逐步縮小各區域間工業化水準的差距。準此以觀，如何貫徹建設地方生活圈的理論與概念，並繼續落實執行重要農村建設措施，以及加強促進農村工業發展❶，似乎仍爲縮短上項區域差距的最切要課題。

㈦嚴格説來，過去政府在有意無意間犧牲農業、犧牲環境，而遷就經濟與工業發展的結果，不但工業污染嚴重、環境危機顯現，而且農業困境益爲突顯。此二者正是未來工業能否持續發展的關鍵。就前者而言，建議全面研擬並嚴格執行工業公害污染外部成本內部化，亦即污染者付費之政策法令，畢竟只有嚴密的環境對策才是台灣經濟與工業恢復成長的最佳策略。唯其如此，庶幾能踵繼工業先進國家之後，達成既能創造成長，也能全盤控制環境破壞之目標；至於後者，現階段允宜全盤檢討農業政策，而如何促使農業持

續成長，並安定農村社會增進農民福利，似乎特別值得農政決策者深思。

㈧綜合調查所得廠商的建議內容，的確我國半導體電子零件工業，歷經政府多年積極推動下已具雛型。但仍應擴大對電子基礎原材料工業的生產與研展工作之投資，例如積體電路（IC）、記憶體（DRAM）及其他基礎零件工業等，並以較優惠的融資和積極的作法獎勵業界共同進行開發和製造。若仍悉賴日、美進口，不但基本工業難以落實生根，抑且報價由人，任人宰割。畢竟只有這些基礎工業生根和原材料工業生產能密切配合，才能發揮整體競爭能力並減少內外不利因素的衝擊。調查中提出此項意見的廠商非常多，顯示此一課題至為迫切，允宜儘速推動。

　　鑒於高品質、高價位是獲得良好形象的不二法門，為加速提高我國產品品質，其具體作法除加強培養各方面科技人才外，也應加強同性質工業間之合作，透過政府力量加以整合，並加強與國外廠商之技術合作與交流，加速產品與技術升級。

㈨建議政府應積極研修工業相關法規，並強化環保法規，此外並積極改進稅制，促使稅率結構合理化與單純化。似可考慮實行一元化稅制，即將各項稅目合併成單一稅率制度。至於金融方面，亦可提高貸款額度並擴大中小企業的信用保證基金和授信範圍。同時也應增訂法令管制同性質工廠漫無止境設立情形，並建立詳細評估經營者能力之制度，進而抑止同業間競相殺價與惡性競爭。而對目前略嫌繁瑣的各項工業行政手續和出口手續亦應適度簡化，藉以提高效率。而勞基法的研修似也刻不容緩，尤應廣徵中小企業者之意見，使其精神能兼顧勞資雙方權益。

㈩針對目前島內勞動力嚴重短缺的難題，似可適量引進外籍勞工以解燃眉之急，在有條件的開放下防杜其引進後的種種問題，諸如阻礙勞動條件的合理化及減緩工業升級之速度等，亦宜妥為因應。最後還有一個根本問題便是整個社會遭逢不良風氣與金錢遊戲的腐蝕，而風險投資似乎乏人問津，政府實應盡一切努力積極匡正扭轉已陷入「急於致富」與「坐享其成」之泥淖中的

投機風氣，使人力資源回流導入生產事業之正途。至於立法的完備化、公權力的提振和治安的改善，也都是不可輕忽的關鍵配合工作。

7-3 後續研究

本研究雖然從五個脈絡出發，通盤檢討台灣地區工業發展歷程的量變和工業環境結構變遷的質變過程，但並未針對個別工業或整體工業發展的區域結構進行研究。未來若能透過深入的小區域或大區域的工廠調查，收集詳實的第一手工廠資料，或工廠之間及工業集團企業之間的特約依存關係資料，並進行區域工業發展的動態或計量分析，將更具前瞻性；其次，本文也僅就工業發展對於台灣地區整體環境結構的衝擊與變遷作初步的分析，在環境危機日益顯現的現階段，實亦宜針對個別都市，其因工業發展而導致的社經及其他人文層面的激烈衝擊進行深入的調查分析，此亦爲深值開發的研究領域；另外有關散布全省已經完成開發的73處工業區，其整體使用狀況和效益評估，以及其空間類型的劃分，若能深入調查探討，似也饒具意義。最後就專業性或一般工業區設立後對附近地區的人文社會衝擊與社經影響❷，也頗富政策意涵與規劃參考價值，值得未來進一步探究。至於面對海峽兩岸經濟互動關係愈趨頻繁的新情勢，似乎將來也可針對台灣與大陸二者之間的互動與依賴關係，透過搜集兩岸的初級資料，進行深入的研究分析，相信一定具有重要參考價值。

註釋：

❶王秋原、蔡宏進、陳希煌，<u>農村綜合發展配合區域計劃之研究</u>，台灣大學人口研究中心研究
報告。內政部營建署委託，1984，第1-30頁。

❷例如張長義、劉英毓、楊雲龍，「新竹科學工業園區之社會經濟環境影響」，<u>中國地理學會
會刊</u>，16：39-48（1988）。

參考文獻

一、中文部份

(一)書籍與專刊

1.丁驌，數量地理。台北：國立編譯館，1981。

2.于宗先，台灣經濟發展重要文獻。台北：聯經出版公司，1976。

3.王秋原、蔡宏進、陳希煌，農村綜合發展配合區域計劃之研究，台灣大學人口研究中心研究報告。內政部營建署委託，1984。

4.王孝賢，台南市工業發展之研究。中興大學都市計劃研究所碩士論文，1977。

5.王信彥，外在環境對企業策略形成及績效影響之研究。政大企管研究所碩士論文，1978。

6.王作榮，台灣經濟發展論文選集。台北：時報出版公司，1981。

7.王嘉明，台灣地區工業區開發區位與利用之研究。淡江大學建築研究所碩士論文，1985。

8.王克敬，台灣民間產業40年，台灣經驗40年系列叢書。台北：自立晚報，1988。

9.史濟增，「分散型工業化與台灣農村就業結構之轉變」，于宗先等主編，台灣與香港的經濟發展。台北：中研院經濟研究所，1983，第53－78頁。

10.史光華，經濟地理—工業之部。台北：三民書局，1966。

11.矢內原忠雄著，周憲文譯，日本帝國主義下之台灣。台北：帕米爾書店，1987。

12.任元杰譯，現代資本主義理論。台北：巨流圖書公司，1988。

13.沈中仁，環境學。台北：大中國圖書公司，1976。

14.余玉賢,「農業的十字路口」,中華學術與現代叢書,八、經濟學論集。台北:中國文化大學出版部,第639－651頁。

15.李薰楓,計量地理(上冊)。台北:大中國圖書公司,1976。

16.李薰楓,經濟地理。台北:大中國圖書公司,1981。

17.李薰楓,台灣地區經濟活動區位變遷的計量研究。台灣研究叢刊第121種,台北:台銀經濟研究室,1986。

18.李薰楓,等費線及其區位應用的研究。地理研究叢書第17號,台北:師大地理系,1988。

19.李薰楓,台灣地區製造業區位變遷的計量研究。台灣研究叢刊第118種,台北:台銀經濟研究室,1983。

20.李敏慧,台灣北區電子工業之空間分布及其區位因素之探討。師大地理研究所碩士論文,1984。

21.李玉娟,土城地區之工業發展及其對當地環境之影響。文大地學研究所碩士論文,1987。

22.李穗玲,台灣地區工業空間發展變遷之研究,淡江大學建築研究所碩士論文,1989。

23.李文朗,「台灣都市與人口遷移」,蔡勇美、郭文雄主編,都市社會發展之研究。台北:巨流圖書公司,1978,第179－196頁。

24.李誠,「台灣現階段勞動短缺之研究」,李誠主編,台灣人力資源論文集。台北:聯經出版公司,1975,第153－192頁。

25.李登輝,「台灣農工部門間之資本流通」,余玉賢主編,台灣農業發展論文集。台北:聯經出版公司,1975,第229－251頁。

26.李登榜,台北市現有工業之檢討與改進。中興大學都市計劃研究所碩士論文,1977。

27.李國鼎,「一個參加經濟設計老兵的回顧與前瞻」,陸民仁主編,台灣經濟發展總論。台北:聯經出版公司,1975,第31－49頁。

28.李國鼎，台灣經濟快速成長的經驗。台北：正中書局，1978。

29.李國鼎，工作與信仰——台灣經濟社會發展的見證。台北：經濟與生活出版公司，1987。

30.李俊發，新竹科學工業園區對北部空間結構之影響，中興大學都市計劃研究所碩士論文，1980。

31.李沛良，社會研究的統計分析。台北：巨流圖書公司，1989。

32.何芳子，台北市工業分布之調查與分析。台北市政府工務局，1972。

33.辛晚教，台北市工業秩序之檢討及改進方案。中興大學都市計劃研究所，1978。

34.邢慕寰，「台灣經濟成長之綜合觀察」，陸民仁主編，台灣經濟發展總論。台北：聯經出版公司，1975，第125－162頁。

35.杜文田，「工業化與工業保護政策」，杜文田主編，台灣工業發展論文集。台北：聯經出版公司，1976，第63－113頁。

36.吳聰賢，「態度量表的建立」，楊國樞等主編，社會及行爲科學研究法（上冊）。台北：東華書局，1983，第463－491頁。

37.吳達暉，台北市住宅街區商業群聚結構之研究——從生態觀點探討。台大土木工程學研究所碩士論文，1986。

38.林清山，心理與教育統計學。台北：東華書局，1980。

39.林澤田，台灣之都市區域與工業區位。台北：銀來圖書公司，1973。

40.林英彦，土地經濟論。台北：一文出版社，1971。

41.林景源，台灣工業化之研究。台灣研究叢刊第117種，台北：台銀經濟研究室，1981。

42.林誠偉，台北地區印刷業的區位與聯鎖。師大地理研究所碩士論文，1985。

43.林鴻儒，外在環境對企業之影響。政大企管研究所碩士論文，1980。

44.林鍾雄，「開放經濟下的經濟問題」，中國論壇編輯委員會主編，台灣地區社會變遷與文化發展。台北：中國論壇社，1985。

45.林鍾雄,「台灣經濟發展40年」,台灣經驗40年系列叢書。台北:自立晚報,1988。

46.林元輝譯,輕、薄、短、小的時代。台北:經濟與生活出版公司,1987。

47.林華德,台灣兩元性經濟的發展策略——戰後台灣經濟的實證分析。台灣研究叢刊第116種,台北:台銀經濟研究室,1978。

48.東嘉生著,周憲文譯,台灣經濟史概說。台北:帕米爾書店,1985。

49.施添福,台灣的人口移動和雙元性服務部門。地理研究叢書第一號。台北:師大地理系,1982。

50.夏鑄九,「全球經濟再結構過程中的台灣區域空間結構變遷」,1989年民間國建會,台灣空間發展的挑戰組。台北:國家政策研究資料中心,1989,第4－1~4－23頁。

51.孫震,「台灣地區工資結構及工資政策」,李誠主編,台灣人力資源論文集。台北:聯經出版公司,1975,第505－528頁。

52.孫震、李厚美,「台灣工業發展之前瞻與回顧」,台灣工業發展會議上冊。台北:中研院經濟研究所,1983,第29－51頁。

53.孫義崇,台灣地區區域空間結構與國家之區域政策。台大土木工程學研究所碩士論文,1987。

54.唐富藏,「台灣工業地區性分散發展之研究」,台灣工業發展會議上冊。台北:中研院經濟研究所,1983,第237－302頁。

55.馬若孟著,呂孝德譯,「台灣經濟的發展」,朱雲漢、彭懷恩編,中國現代化的歷程。台北:時報出版公司,1982,第299－331頁。

56.馬若孟著,陳其南、陳秋坤編譯,台灣農村社會經濟發展。台北:牧童出版社,1979。

57.高希均,經濟學的世界。台北:經濟與生活出版公司,1985。

58.高銛、王宏周、魏章玲譯,「後工業社會的來臨——對社會預測的一項探索」,丁庭宇主編,桂冠社會學叢書27。台北:桂冠圖書公司,1989。

59.徐育珠，<u>經濟發展</u>。台北：正中書局，1977。

60.殷章甫，<u>經濟發展與土地利用</u>，台北：文笙書局，1980。

61.翁嘉禧，<u>台灣工業發展計畫的評估</u>。中山大學中山學術研究所碩士論文，1984。

62.張鈞，<u>中小企業發展方向</u>。台北：聯經出版公司，1974。

63.張長義，<u>台灣北部沿海工業區環境影響評估示範計劃</u>，社會經濟環境影響評估研究報告。行政院衛生署委託台大地理研究所及農推研究所研究，1982。

64.張宗漢，<u>光復前台灣之工業化</u>。台北：聯經出版公司，1980。

65.張秀含，<u>工業經濟學</u>。台北：世界書局，1980。

66.許士軍等，<u>我國衛星工廠體系之探討</u>。台北：行政院研考會，1979。

67.許華珍，<u>台灣工業發展策略之研究</u>。中興大學經濟學研究所碩士論文，1984。

68.陸民仁，<u>經濟學</u>。台北：三民書局，1983。

69.陸先恆，<u>世界體系與資本主義</u>。台北：巨流圖書公司，1988。

70.曾國雄，<u>多變量解析與其應用</u>。台北：華泰書局，1982。

71.曾國雄、鄧振源，<u>多變量分析㈠——理論應用篇</u>。台北：松崗電腦圖書資料公司，1986。

72.陳明福，<u>台灣地區製造業區域配置之研究</u>。中興大學農經研究所碩士論文，1978。

73.陳貞彥，<u>嘉義雲林區域工業發展之研究</u>。中興大學都市計劃研究所碩士論文，1974。

74.陳文尚，<u>台灣都市圈的類型及其結構之研究</u>。文大地學研究所博士論文，1979。

75.陳志悟，<u>空間變遷的社會分析——以日本殖民時期的宜蘭地景爲個案</u>。台大土木工程學研究所博士論文，1988。

76.陳伯中，<u>經濟地理</u>。台北：三民書局，1973。

77.陳伯中，都市地理學。台北：三民書局，1983。

78.陳希煌，「台灣小農之經濟分析」，余玉賢主編，台灣農業發展論文集。台北：聯經出版公司，1975，第367－399頁。

79.陳昭南，「民生主義與所得分配」，中研院三民主義研究所專題選刊（三十二），1980。

80.梁蘄善，地理學計量分析。台北：中國文化大學出版部，1985。

81.彭光輝，都市中小企業設廠擴廠遷廠之研究。文大政治研究所碩士論文，1978。

82.葉萬安等，台灣經濟發展之研究。台灣研究叢刊第102種，台北：台銀經濟研究室，1970。

83.黃俊傑，「光復後台灣的農業、農村與農民：回顧與展望」，中國論壇編輯委員會主編，台灣地區社會變遷與文化發展，台北：中國論壇社，1985，第237－296頁。

84.黃富三，女工與台灣工業化。台北：牧童出版社，1977。

85.黃智輝，台灣工業發展策略與貿易型態之轉變。台灣研究叢刊第120種，台北：台銀經濟研究室，1984。

86.黃智輝，台灣的工業發展政策與策略。台北：東吳大學中國學術著作獎助委員會，1984。

87.楊雲龍，新竹科學工業園區及其鄰近地區環境變遷之研究。文大地學研究所碩士論文，1982。

88.楊森林，我國電子工業經營成長之研究。淡江大學管理科學研究所碩士論文，1982。

89.廖正宏、黃俊傑、蕭新煌，「光復後台灣農業政策的改變——歷史與社會的分析」，中研院民族學研究所專刊乙種第18種。1986，第27－36頁。

90.廖正宏，「鄉村人口外移對台灣農村的影響」，楊國樞、葉啓政編，當前台灣社會問題。台北：巨流圖書公司，1979，第185－197頁。

91.劉泰英、吳志炎，從先進國家工業發展過程及趨勢展望我國未來工業發展方向之研究，行政院經建會部門計劃處委託，台北：台灣經濟研究所，1985。

92.劉克智，台灣人口成長與經濟發展。台北：聯經出版公司，1979。

93.蔡中焜，台灣地區棉紡工業經營成長之研究。淡江大學管理科學研究所碩士論文，1983。

94.蔡瑞娟，台灣紡織業的成長與循環。台大經濟研究所碩士論文，1983。

95.趙岡、陳鍾毅，中國棉業史。台北：聯經出版公司，1977。

96.劉阿榮，「台灣工業發展之過去與未來」，台灣經濟發展的經驗與模式。台中：台灣省政府新聞處，1985，第167－190頁。

97.賴光政，台灣地區製造業發展與工業區位政策之研訂。台北：經建會都市及住宅發展處，1985。

98.鍾懿萍，台灣地區工業空間集散分布之研究。台大土木工程學研究所碩士論文，1984。

99.薛益忠譯，社會的空間組織，台北：幼獅文化公司，1985。

100.邊裕淵，「工業化與農家所得分配」，中研院三民主義研究所專題選刊（二十），1979。

101.蕭峰雄，產業及技術選擇與工業發展－－我國紡織工業之個案研究。文大經濟研究所博士論文，1982。

102.蕭國和，台灣農業興衰40年。台北：自立晚報，1988。

103.蕭新煌，「台灣地區農業政策的檢討與展望——事實和解釋」，朱岑樓主編，我國社會的變遷與發展。台北：東大圖書公司，1981，第491－526頁。

104.龐建國譯，「多國公司在台灣」，丁庭宇、馬康莊主編，台灣社會變遷的經驗——一個新興的工業社會。台北：巨流圖書公司，1986，第9－30頁。

105.嚴勝雄，地理學思想史。台北：六國出版社，1978。

106.嚴勝雄，從科學發展試論區域科學理論之建立。台北：六國出版社，1985。

107.內政部，中華民國台閩地區人口統計。

108.台灣省政府經濟動員委員會，<u>台灣省均衡地方經濟發展方案</u>。1987。

109.行政院主計處，<u>中華民國台閩地區工商業普查報告</u>。

110.行政院主計處，<u>中華民國台灣地區國民所得</u>。1986。

111.行政院經建會經濟研究處，<u>中華民國台灣地區經濟現代化的歷程</u>。1981。

112.行政院經建會都市與住宅發展處，<u>台灣地區綜合開發計畫概要</u>。1979。

113.行政院經建會都市與住宅發展處，<u>台灣地區綜合開發計劃</u>。1988。

114.經濟部工廠校正調查聯繫小組，<u>台灣地區工廠校正暨營運調查報告</u>，1988。

(二)期刊

115.王建成譯，「世界經濟展望與西太平洋經濟圈」，<u>台灣經濟</u>，141：9－14（
   1989）。

116.王秋原，「台灣農村綜合發展計畫與區域成長策略之研究」，<u>台大地理系研</u>
   <u>究報告</u>，12：141－150（1985）。

117.邢慕寰，「台灣經濟大國之夢在那裏」，<u>遠見雜誌</u>，43：187－193（1989）
   。

118.李庸三，「台灣之工業建設及當前發展問題」，<u>產業金融季刊</u>，25：1－19
   （1979）。

119.李棟明，「都市化颱風圈－－人口都市化過程之剖析」，<u>東方雜誌復刊</u>，2
   （9）：57－62（1969）。

120.李高朝、蕭國輝，「我國工業發展之經驗」，<u>中華民國戰略學刊</u>，78年冬季
   刊，1989，第24－47頁。

121.李昭考，「台灣工業結構之研究（1951－1977）」，<u>經濟研究</u>，22：109－
   156（1979）。

122.沈西達，「台灣中小企業之產銷問題」，<u>台銀季刊</u>，34（3）：57－82（198
   3）。

123.李薰楓，「淺談工業研究的度量方法」，<u>師大地理教育</u>，2：23－25（1976

）。

124.李薰楓，「台灣五大都市就業區位變遷的計量分析」，師大地理研究報告，
　　12：1—39（1985）。

125.李薰楓，「台灣地區工業化轉型之分析」，地學彙刊，6：83—90（1986）
　　。

126.吳迎春，「經濟華服染上的污點——誰該爲工業污染負責」，天下雜誌，65
　　：12—27（1986）。

127.吳連賞，「台灣甘蔗生產與糖業發展的變遷分析」，台銀季刊，40（2）：2
　　13—235（1989）。

128.吳連賞，「工業地理的若干研究課題與研究成果」，師大地理教育，8：71
　　—87（1982）。

129.吳連賞，「高雄加工出口區的工業發展」，台銀季刊，34（2）：155—198
　　（1983）。

130.吳連賞，「工業化和工業區域結構旳研究理念」，師大地理教育，13：117
　　—125（1987）。

131.吳連賞，「高雄市的工業發展過程和工業結構的變遷」，高雄工專學報，16
　　：509—551（1986）。

132.林郁欽，「台北都會區製造業工廠設廠的區位行爲之研究」，台銀季刊，34
　　（4）：123—164（1983）。

133.林郁欽，「台灣主要工業地帶區位變遷及其特性之研究」，台銀季刊，37（
　　1）：219—243（1986）。

134.林郁欽，「台灣北區生活圈製造業結構與區位調適之研究」，台銀季刊，40
　　（3）：111—226（1989）。

135.林邦充，「台灣棉紡織工業發展之研究」，台銀季刊，20（2）：76—125（
　　1969）。

136.林澤田，「台灣都市與工業區位之研究」，台銀季刊，24（3）：41—67（1

973）。

137.林照雄，「台灣工業化過程之研究」，台銀季刊，29（4）：73－103（1978
）。

138.周文，「台灣之紡織工業」，台銀季刊，21（1）：95－124（1973）。

139.施敏雄、李庸三，「台灣工業發展方向與結構轉變」，自由中國之工業，46
（2）：2－20（1976）。

140.孫雅苓，「我國工業區發展之簡介」。師大地理教育，13：208－227（1987
）。

141.馬康莊譯，「依賴理論與出口導向的工業化」，中央，21（1）：94－98（1
988）。

142.陸民仁，「經濟升級的契機－－挑戰與因應」，光復大陸，254：37－41（1
988）。

143.梁國常，「台灣北區製造業空間結構之研究」，台銀季刊，29（2）：140－
177（1978）。

144.陳俊勳，「台灣經濟發展的轉捩點」，台銀季刊，34（2）：1－27（1983）
。

145.陳文龍，「當前投資環境的危機與轉機」，統領雜誌，44：9－10（1989）
。

146.曾立成，「都市經濟基礎研究與乘數反應」，台灣經濟金融月刊，10（1）
：35－41（1974）。

147.趙耀東，「適應當前需要國家經濟建設的重點」，自由中國之工業，62（4
）：11－12（1984）。

148.張長義、劉英毓、楊雲龍，新竹科學園區之社會經濟環境影響，中國地理學
會會刊，16：39－48（1988）。

149.張茂修，「台灣紡織工業之發展」，台銀季刊，33（4）：30－46（1982）
。

150.張訓舜，「加速農村建設重要措施推動情形」，台灣農業，9（2）：1－6（1973）。

151.蔡宏進，「戰後台灣工業發展的空間分布及人口移動的趨勢」，台北市銀月刊，12（6）：36－37（1981）。

152.蔡文彩，「高屏地區各市鄉鎮主要商店街機能活動之地理學研究」，師大地理研究報告，6：71－114（1980）。

153.劉鴻喜，「台灣經濟開發的分期」，師大教學與研究，6：115－124（1984）。

154.劉鉦鉦，「聚集之經濟」，大陸雜誌，45（3）：147－158（1972）。

155.劉鉦鉦，「台灣地區人口空間分布與經濟成長之關係」，台銀季刊，40（1）：322－362（1989）。

156.賴金文，「台灣地區製造業空間分布類型之研究」，台銀季刊，31（3）：1－33（1980）。

157.薛益忠，「工業化及其制行策略」，中國地理學會會刊，16：49－68（1988）。

158.魏萼，「台灣經濟發展模式與實證」，台灣經濟研究月刊，7（11）：69－72（1984）。

159.嚴勝雄譯，「工業區位的變遷與適應」，新加坡史地季刊，10：8－11（1970）。

160.嚴勝雄，「台灣主要區域工業結構之比較分析」，企業與經濟，3（11）：24－36（1974）。

161.嚴勝雄，「台灣北部之工業發展及其結構變遷之研究」，台銀季刊，24（3）：268－293（1973）。

162.嚴勝雄，「台灣地區性工業化類型之研究」，自由中國之工業，44（1）：2－14（1975）。

163.嚴勝雄，「都市與區域研究之構思」，台大建築與城鄉研究學報，4（1）：

41−42（1989）。

164.嚴勝雄，「智慧大樓資訊港與智慧都市」，建築師，15（4）：78−81（
　　　1989）。

165.嚴勝雄，「工業地理學的研究趨勢」，台灣經濟金融季刊，11（3）：35−3
　　　7（1975）。

166.嚴勝雄，「區域開發中都市影響圈與中心地理論之應用」，台灣土地金融季
　　　刊，11（4）：67−80（1975）。

167.嚴勝雄，「空間科學－－都市發展與區域開發之理論探討」，都市與計劃，
　　　2：1−9（1976）。

168.嚴勝雄，「都市經濟區位的聚集與機能區之形成」，成大規劃師，7：26−3
　　　2（1980）。

二、日文部份

㈠書籍與專刊

1.三輪公夫，わが國工業の地域構造Ⅱ，都市機能との關連による工業の研究。
　東京：工業立地研究會，1975。

2.北村嘉行、矢田俊文，日本工業の地域構造，日本の地域構造2。東京：大明
　堂，1980。

3.多田文男，現代地理講座7，生産の地理，日本工業の分析。東京：日本河出
　書房，1956。

4.佐佐木恆男、吉原正修譯，サイモン，H.A.著，人間の理性と行動。東京：
　文真堂，1984。

5.谷浦孝雄，台灣の工業化，國際加工基地の形成。東京：ヤジヤ經濟研究所，
　1988。

6.唐澤和義，産業社會とコシユテイ。東京：勁草書房，1985。

7.國松久彌、安藤萬壽男、西岡久雄，經濟地理學。東京：明玄書房，1965。

8.磯村尚德，世界の中の日本，アジアからの挑戰。NHK特集，緊急リポート
，東京：日本放送出版協會，1988。

(二)期刊

9.山口守人，「わが國における工業の地域的展開 とその立地論的分析に關す
る研究（第1報）」，熊本大學教養部紀要，人文社會科學編，15：67−107
（1980）。

10.大內淳義，「高科技產業の區位」，地域開發，4：15−20（1987）。

11.下川浩一，「國際分工と產業空洞化−−以零組件爲主」，地域開發，3：11
−22（1988）。

12.村田喜代治，「東京產業構造の變貌」，地域開發，9：21−23（1988）。

13.佐佐波秀彥，「21世紀の地域開發と環太平洋圈」，地域開發，9：2−3（19
88）。

14.宮川泰夫，「工業配置の計畫と工業地域の計畫−−大都市圈工業配置計畫
論」，經濟地理學年報，33（4）：314−328（1987）。

15.清成忠男，「裝配工業の區位變化」，地域開發，3：1−10（1988）。

16.嚴勝雄，「群馬縣大泉町の工業」，地理學評論，42（12）：762−774（196
9）。

三、英文部份

㈠Books and Monographs

1.Alexandersson, G., Geography of Manufacturing. London：Prentice-
 —Hall, Inc., 1967.

2.Bale,J., The Location of Manufacturing Industry. Edinburgh：Oliver &
 Boyd, 1981.

3.Bradford,M.G&Kent,W.A., Human Geography. London：Oxford Univer-
 sity Press, 1977.

4.Berry,B.J.L. & Marble D., Spatial Analysis. New Jersey：Prentice—H-
 all, Inc., 1968.

5.Cheng, Chu—Yuan, China's Economic Development Growth and
 Structure Change. Colorado：Westview Press,1982.

6.Dean,R.D, Leathy,W.H, and Mckee,D.L., Spatial Economic Theory. 台
 北：華泰書局,1977.

7.Galenson, W., Economic Growth and Structural Change in Taiwan.台
 北：雙葉書廊,1981.

8.Haggett,P., Locational Analysis in Human Geography. London：E-
 dward Arnold, 1965.

9.Haggett, P., Geography, A Modern Synthesis.台北：金銘圖書公司,1985.

10.Hewings, G.J.D., Regional Industrial Analysis and Development,
 London: Metbuen. & Co Ltd, 1977.

11.Isard,W., Methods of Regional Analysis：An Introduction to Regional
 Science. Massachusetts：The M.I.T. Press, 1960.

12.Isard,W., Location and Space—Economy. Massachusetts：The M.I.T.
 Press, 1956.

13.Johnston, R.J.ed., The Dictionary of Human Geography. Oxford：Bl-
 ackwell Reference, 1981.

14. Johnston,R.J., Philosophy and Geography, London : Edward Arnold, 1983.

15. Knapp, R.G., China's Island Frontier, Studies in the Historical Geography of Taiwan. Honolulu: The University Press of Hawaii, 1980.

16. Lloyd,P.E.& Dicken, P., Location in Space. NewYork : Harper & Row, 1977.

17. Lösch, A., The Economics of Location. New Haven & London : Yale University Press, 1952.

18. Scott,A.J. & Storper M.," High Technology Industry and Regional Development : A Theoretical Critique And Reconstruction," The 17th Norma Wileinson Memorial Lecture Geographical Papers. Department of Geography, U.C.L.A, 1986.

19. Smith,D.M., Industrial Location. New York : John Wiley & Sons, Inc.,1971.

20. Toyne,P.& Newby,P.T., Techniques in Human Geography. Hong Kong : Macmillan Education, 1971.

21. Weber,A., Theory of the Location of Industries. Chicago : The University of Chicago press, 1968.

22. Yeats, M., An Introduction to Quantitative Analysis in Human Geography. New York : Mc Graw—Hill, 1974.

㈡Periodicals

23. Bar—El,R., " Industrial Dispersion as an Instrument for the Achievement of Development Goals," Econ.Geogr., 61 (3) : 205— 222 (1985).

24. Chapman,K., " Environmental policy and Industrial Location," Area, 12 (3) : 209—214 (1980).

25. Chenery, H.B., " Interactions Between Industrialization and Exports," American Economic Review, 73 (2) : 281—287 (1979).

26.Conkling. E. C., "South Wales A Case Study of Industrial Diversification," Econ. Geogr., 258—272 (1963).

27.Dewar,D., Todes,A. & Watson,V., "Industrial Decentralization Policy in South Africa : Rhetoric and Practice," Urban Studies, 23 ; 363—376 (1986).

28.Fisher,J.S., "Structural Adjustment in the Southern Manufacturing Sector," The Professional Geographer, 33 (4) ; 466—474 (1981).

29.Ho,P.S. Samuel, "Decentralized Industrialization and Rural Development : Evidence from Taiwan," Economic Development and Culture Change, 28 (1) : 77—96 (1979).

30.Huallachain,O.B., "The Identification of Industrial Complexes," A.A. A.G.,74 (3) : 421—436 (1984).

31.Healey,M.J., "Locational Adjustment and the Characteristics of Manufacturing Plants," Trans, Inst. Br.Geogr., 6 : 394—412 (1981).

32.Heron,R.B. LE, "Exports and Linkage Development in Manufacturing Firms : The Example of Export Promotion in New Zealand," Econ. Geogr, 56 (4) : 281—299 (1980).

33.Hoare,A.G., "Regional Industrial Structures in Britain Since the Great War," Geography,74 (4) : 289—304 (1986).

34.Huddle,D.L., "The Brazilian Industrialization-Sources, Patterns, and Policy Mix," Economic Development and Cultural Change, 15 (4) : 472—479 (1967).

35.Karan,P.P., "Changes in Indian Industrial Location, "A.A.A.G., 54 : 336—354 (1964).

36.Keeble,D.E, "Industrial Decentralization and the Metropolis : The North—West London case, "Trans. Inst. Br.Geogr., 44 : 1—54 (1968).

37.Kwon,W.Y., "A Study of the Economic Impact of Industrial Relocation : The Case of Seoul," Urban Studies, 18 : 73—90 (1981).

38.Leeming,F., " Chinese Industry—Management Systems and Regional Structures," Trans. Inst. Br. Geogr., 10 (4) ： 413—426 (1985).

39.Logan, M.I., " Manufacturing Decentralization in Sydney Metropolitan Area," Econ. Geogr., 44 (3) :151—162 (1964).

40.Malecki,E.J.," Locational Trends in R & D by Large U.S. Corporations, 1965—1977," Econ. Geogr., 55 (4) ： 309—323 (1979).

41.Mason,C.M., " Intra—Urban Plant Relocation ： A Case Study of Great Manchester," Regional Studies, 14 ： 267—283 (1980).

42.Miyakawa,Y., " Evolution of Industrial System and Industrial Community," The Science Reports of Tohoku University, 7TH SERIES (Geography),31 (1) ： 49—83 (1981).

43.Norton,R.D. & Rees,J., " The Product Cycle and the Spatial Decentralization of American Manufacturing," Regional Studies, 13 ： 141—151 (1979).

44.Oliver,J.E., " Monthly Precipitation Distribution ： A Comparative Index," Professional Geographer,32(3) ： 300—309 (1980).

45.Pred,A.R., " The Intrametrapolitan Location of American Manufacturing," A.A.A.G.,54(2) ： 165—180 (1964).

46.Reinemann,M.W.," The pattern and Distribution of Manufacturing in the Chicago Area," Econo. Geogr., 36(2) ： 139—144 (1960).

47.Smith,D.M., " A Theoretical Framework for Geographical Studies of Industrial location," Econ. Geogr., 42(2) ： 95—113 (1966).

48.Stafford,H.A., " Factors in the Location of the Paperboard Container Industry," Econ. Geogr., 36(3) ： 260—266 (1960).

49.Steed,G.P.F., " Centrality and Locational Change ： Printing, Publishing, and Clothing in Montreal and Toronto," Econ. Geogr., 52 (3) ： 193—205 (1976).

50.Scott,A.J., " Locational Patterns and Dynamics of Industrial Activity in the Modern Metropolis," Urban studies, 19 ： 111—142 (1982).

51.Steed, G.P.F & Thomas, M.D., "Regional Industrial Change : Northern Ireland," A.A.A.G., 61(2) : 344−361 (1971).

52.Stafford,H.A., "Environmental Protection and Industrial Location," A.A.A.G., 75(2) : 227−240 (1985).

53.Sit,V., "The Location of Urban Small Industries : An Ecological Approach," Trans. Inst. Br. Geogr.,5(4) : 413−426 (1980).

54.TöRNQvist,G., "The Geography of Economic Activities : Some Critical Viewpoints on Theory and Application," Econ. Geogr., 53(2) : 153−162 (1977).

55.Thomas, M.D. & Heron, R.B. LE,"Perspectives on Technological Change and the Process of Diffusion in the Manufacturing Sector," Econ. Geogr., 51(3) : 231−251 (1975).

56.Wood,P.A., "Industrial Location and Linkage,"Area, 2 : 32−38 (1969).

附錄 I　歷次工商普查製造業中分類業別

第一次（民國43年）（1954）	第二次（民國50年）（1961）	第三次（民國55年）（1966）	第四次（民國60年）（1971）	第五次（民國65年）（1976）	第六次（民國70年）（1981）	第七次（民國75年）（1986）
20 食品製造業	20 食品製造業	20 食品製造業	31 食品飲料及菸草製造業	食品(20)製造業	20 食品製造業	20 食品製造業
21 飲料製造業	21 飲料製造業	21 飲料製造業	32 紡織品及衣服製造業	飲料(21)及菸草(22)製造業	21 飲料及菸草製造業	21 飲料及菸草製造業
22 菸草製造業	22 菸草製造及其製品製造業	22 菸草製造業	33 木竹籐柳及其製品製造業	菸草(22)業	22 紡織業	22 紡織業
23 紡織業	23 紡織業	23 紡織業	34 紙及紙製品之製造及印刷業	成衣及服飾品(23)製造業	23 成衣及服飾品製造業	23 成衣及服飾品製造業
24 檀製品及服飾加工製造業以外之皮革製造業	24 毛棉製品及衣飾加工製造業以外之製造業	24 成衣服飾品製造業	35 化學品及其他非金屬礦製品製造業	皮革、毛皮及其製品(24)製造業	24 皮革毛皮及其製品製造業	24 皮衣及皮革製品製造業
25 製材及木竹籐柳草製品及傢俱製造業	25 製材及木竹籐柳草製品及傢俱製造業	25 木竹籐柳製品製造業	36 非金屬礦物製品製造業	木竹製品(25)及非金屬傢俱(26)製造業	25 木竹製品及非金屬傢俱製造業	25 木竹製品及非金屬傢俱製造業
26 家具及裝設品製造及修理業	26 家具及裝設品製造及修理業	26 家具及裝設品製造業	37 基本金屬製造業	紙漿、紙及紙製品(27)及印刷出版業(29)	26 紙漿、紙及紙製品印刷出版業	26 紙漿、紙製品及紙製品製造業
27 紙及紙製品製造業	27 紙及紙製品製造業	27 紙及紙製品製造業	38 金屬製品及機械器具製造修配業	化學材料(31)製造業	27 化學材料製造業	27 化學材料製造業
28 印刷及裝釘業	28 印刷製版及裝釘業	28 印刷業及裝釘業	39 什項工業製品製造業	化學製品(32)製造業	28 化學製品製造業	28 化學製品製造業
29 皮革及皮革製品製造業	29 皮革及皮革製品製造業	29 皮革及皮革製品製造業		石油及煤製品(33)製造業	29 石油及煤製品製造業	29 石油及煤製品製造業
30 橡膠製品製造業	30 橡膠及橡膠製品製造業	30 橡膠製品製造業		橡膠製品(30)製造業	30 橡膠製品製造業	30 橡膠製品製造業
31 化學製品製造業	31 化學製品製造業	31 化學製品業		塑膠製品(31)製造業	31 塑膠製品製造業	31 塑膠製品製造業
32 油類及其製品製造業	32 石油及其製品製造業	32 石油煤製及其製品製造業		非金屬礦物製品(33)製造業	32 非金屬礦物製品製造業	32 非金屬礦物製品製造業
33 非金屬礦物製品製造業	33 非金屬礦物製品製造業	33 非金屬礦物製品製造業		金屬基本工業(34)	33 金屬基本工業	33 金屬基本工業
34 基本金屬工業	34 基本金屬工業	34 金屬基本工業		金屬製品(35)製造業	34 金屬製品製造業	34 金屬製品製造業
35 金屬製品製造業	35 金屬製品製造業	35 金屬製品製造業		機械設備製造修配業(36)	35 機械設備製造修配業	35 機械設備製造修配業
36 機械製造及修理業（電機除外）	36 機械及電機器具製造及修理業	36 機械設備製造修理業		電力及電子機械器材(37)製造修配業	36 電力及電子機械器材製造修配業	36 電力及電子機械器材製造修配業
37 電機器及電機器具製品製造及修理業	37 電機設備及電機器具製造及修理業	37 電氣機械器材製造修理業		運輸工具製造修配業(38)	37 運輸工具製造修配業	37 運輸工具製造修配業
38 運輸工具製造及修理業	38 運輸工具製造及修理業	38 運輸工具製造修理業		精密器械(39)製造業	38 精密器械製造業	38 精密器械製品業
39 其他製造業	39 其他製造業	39 其他製造業		什項工業製品(39)製造業	39 雜項工業製品製造業	39 雜項工業製品製造業

資料來源：第一、二、三、四、五次工商業普查報告，表1製造業概況。

註：第五次（民國65年）中分類代號係作者加註者，第六及第七次中分類標準係依據主計處的分類，本文的分類則係以第三次（1966）為處理整合的基準。

201

附錄2

敬愛的公司負責人：您好！

　　這是一份為了研究台灣地區工業發展有關問題而設計的調查問卷表，懇請您提供寶貴資料以供參考。這些資料係供學術研究使用，希望能有助於整體工業發展環境的改善，並提供政府推展工業及衡區域發展之參考。有關個別資料，絕不對外公開，敬請放心！如蒙　慨允填答，並請以所附回郵信封寄回，本人將致萬分謝意！敬祝

業務興隆　鴻圖大展

中國文化大學地學研究所博士班研究生吳連賞　謹啓　78年6月

一、經營概況（□請打√，＿＿＿請填答）：

1. 貴公司寶號＿＿＿＿＿＿＿＿電話＿＿＿＿＿＿開工日期＿＿＿年＿＿＿月。
   貴公司地址＿＿＿＿＿＿＿填表人姓名＿＿＿＿＿＿職銜＿＿＿＿＿＿。
2. 貴公司目前主要產品為＿＿＿＿＿＿＿＿，這些產品約占總生產值的＿＿＿＿％。
   貴公司設廠當時的主要產品為＿＿＿＿＿＿，目前廠地面積約＿＿＿＿坪或＿＿＿m²。
3. 貴公司有無分公司或工廠？□有，□無，如果有，共＿＿＿＿家，該分公司（或工廠）是於民國＿＿＿＿年設立在＿＿＿＿＿＿縣（市）。
4. 貴公司是否也投資其他行業？□是，□否，如果是，那是在民國＿＿＿＿年起開始經營的。
   貴公司所投資經營的其他行業是？□蔬菜，□服務業，□營建業，□其他行業（請說明）＿＿＿＿
   貴公司所投資的其他行業是設在＿＿＿＿縣（市），有＿＿＿家，僱用員工共＿＿＿人。
5. 貴公司工業部門目前所僱用的正式員工共有＿＿＿人。男性＿＿＿人；女性＿＿＿人。臨時僱用的員工共＿＿＿人。
6. 貴公司的原料來源（請大略依金額估計即可）：　　貴公司產品的銷售地區（請大略依金額估計即可）：

主要原料	國內（地區）%	國外（國名）%		主要產品	國內（地區）%	國外（國名）%
	縣（市）				縣（市）	
	縣（市）				縣（市）	

7. 貴公司以往貸款都是向＿＿＿＿縣（市）＿＿＿＿銀行申貸，而且目前貸款有何困難？＿＿＿＿，
8. 您認為目前影響國內投資意願的主要因素是什麼？（複選）□新台幣升值，□勞工短缺，□環境保護問題，□政治環境，□以上皆有，□其他（請說明）＿＿＿＿。
9. 貴公司是否考慮到海外投資或設廠？□尚未考慮，□正在考慮，但尚未付諸實際行動，□已經積極進行中，□已經去設廠。您認為到那一個地區或國家投資設廠最好？（請任選三個，依重要性大小填上1,2,3）

□ 東南亞	□ 美　國	□ 印　尼	□ 歐　洲
□ 泰　國	□ 馬來西亞	□ 新加坡	□ 南美洲
□ 中國大陸	□ 香　港	□ 菲律賓	□ 其他（請說明）＿＿＿

10. 當面臨經營困境時（例如台幣升值或勞工缺乏等），貴公司是否考慮採行應變措施？□順其自然，並未考慮，□正在考慮中，□已經積極進行應變。貴公司若已進行應變，請就以下四方面□√選後進一步說明如何應變？
    □在營運管理方面：＿＿＿＿＿＿　　□在原料使用方面：＿＿＿＿＿＿
    □在勞工應用方面：＿＿＿＿＿＿　　□在自動化方面：＿＿＿＿＿＿。

二、遷廠情形與考慮因素：

1. 貴公司是否曾遷移廠址？□是，□否，如果是，原廠是於民國＿＿＿＿年由＿＿＿＿縣（市）遷至本廠。
2. 貴公司當時遷廠是考慮什麼因素？（請依重要性大小，每項√選一格）

	極重要	重要	無意見	不重要	極不重要			極重要	重要	無意見	不重要	極不重要
1. 地價太高，房租太貴							7. 原廠公害處理不方便					
2. 交通運輸欠便利							8. 原廠地不易僱到勞工					
3. 原廠地點不合分區使用計畫							9. 響應政府工廠向郊區疏散政策					
4. 原廠附近缺乏公共設施							10. 附近需星工廠太少					
5. 擴大經營，原廠面積不夠使用							11. 原廠距市場或原料供應地過遠					
6. 原廠房地點與環境不佳							12. 其他（請說明）					

三、決定設廠的區位因素：

貴公司在此設廠是考慮什麼原因？（請依重要性大小，每項√選一格）

	極重要	重要	無意見	不重要	極不重要			極重要	重要	無意見	不重要	極不重要
1. 交通便利，運費低廉							8. 廢水排除和廢棄物處理方便					
2. 衛星工廠多，聯絡方便，可獲得聚集利益							9. 各項公共設施完善，且制度健全					
3. 容易僱到非技術性人力							10. 接近國內消費市場，具發展潛力					
4. 容易僱到技術性人力							11. 近大都市，消息靈通，資訊發達					
5. 常時勞工來源充足							12. 環境和氣候條件相當適宜					
6. 土地及建築物易於購買或租用							13. 水電供應充足且價格便宜					
7. 接近原料來源，且供應充足							14. 其他（請說明）					

謝謝您的合作，敬請翻閱背面繼續填答，謝謝！

附錄2（續）

四、作業生產和工業連鎖情形：

1. 貴公司產品或零組件是否有委託製造情形？□是，□否，如果是，其成本約占總生產成本的 _____%。而您委託的工廠種類共有 _____ 種，總共有 _____ 家，主要分布在 _____ 等縣市，□距委託製造了 _____ 年。 71 72 73 □□□
   貴公司接受委託生產的技術來源是那一國？ _____ 國，委託生產的產品銷售方式是？ 74 75 □□
   □本公司直銷或直接出口，□運回原委託國後再行出口或銷售，□其他（請說明） _____

2. 貴公司是否有外包加工的情形？□是，□否。如果是，那麼外加工的時間約有 _____ 年。 76 77 □□
   外包加工的工作項目或產品是： _____ ，其成本約占總成本的 _____%。 78 79 □□
   而外包加工工廠分布在 _____ 等縣市，總共有 _____ 家。 80 81 □□

3. 貴公司的產品主要是接受那一個國家的訂單？ _____ ，五年前訂單來源與目前有無不同？□有，□無。 □

4. 貴公司目前有無臨時外包代工情形？□有，□無，共有 _____ ，分布在 _____ 縣。 82 83 □□

5. 貴公司與(A)委託製造、(B)外包加工、(C)臨時代工三種型態工廠間的關係為： 84 85 □□
   （請就每一項目左邊ＡＢＣ□中√選一格，然後再填答 _____ 內容）（可複選）

A	B	C		86 87 88 89 90
			具有長期而且穩固的商務往來關係者：大約有 _____ 家，主要分布在 _____ 等縣市。	□□□□□
			具有投資上合作關係或屬於關係企業者，大約有 _____ 家，主要分布在 _____ 等縣市。	91 □
			具有技術和管理方面的輔導（助）關係者，大約有 _____ 家，分布在 _____ 等縣市。	92 □
			只是臨時性的商務往來者，大約有 _____ 家，主要分布在 _____ 等縣市。	93 □
			屬於親戚朋友幫忙性質者，大約有 _____ 家，分布在 _____ 等縣市。	94 □
			屬家庭代工者，大約有 _____ 家，分布在 _____ 等縣市。	

6. 請比較貴公司在五年前和特約（衛星）工廠之間的關係與目前有何不同？□在委託製造方面 _____ ，
   □在外包加工方面 _____ ，□在臨時代工方面 _____ 。 95 □

五、工業發展的內外在環境變化：

以下是有關國內工業發展，在內在或外在環境方面的一些現象或變化因素，主要是請教您對於台灣工業發展環境的認知態度，每一項目並無對錯之分，而您的答案只表示您對該項敘述內容的看法或感覺而已。

（敬請您逐項閱讀後在每一項目右邊的五個格子中分別√選一格）

	極同無不極 　　　　不 同意同 意意見意意	
1. 由於都市化和工業化作用迅速進行，使得都市人口和工廠愈來愈形集中		96 □
2. 農業已逐漸朝向商品化和精緻化方向發展，同時勞力的分工也愈來愈專業化		97 □
3. 農業雖然受到工業快速發展的影響，但是有人仍認為農業的前景依然看好		98 □
4. 雖然國際化、自由化勢在必行，但工廠的經營與運作並不受國際經濟景氣興否的影響		99 □
5. 在目前開放的經濟體系中，工廠的營運很深刻地受到國際經濟景氣變動的影響		100 □
6. 目前工業發展環境因受到社會結構變遷的影響，以致於勞工難找，勞動力更加缺乏		101 □
7. 長期以來，台灣地區的工業發展在空間分布上已出現相當明顯的偏頗不均現象		102 □
8. 目前本省的工業分布仍然非常平均地分散在各縣市，亦即呈現相當均衡的面貌		103 □
9. 由於過去太重視經濟發展而忽視環境保護，以致於目前工業公害和環境污染問題相當嚴重		104 □
10. 雖然目前大眾環境保護意識高漲，但工業公害和環境污染程度並沒有想像中那麼嚴重		105 □
11. 農村地區因受到工業化的衝擊，農村人口嚴重外流，同時農業發展面臨嚴重困境		106 □
12. 由於生產的專業化，工業連鎖和工廠之間的衛星或特約關係相當密切		107 □
13. 由於新台幣升值、勞工運動及環境保護等因素影響，使工業投資的整體條件逐漸惡化		108 □
14. 儘管社會漸漸開放與多元化，但也有人認為工業投資環境仍然會逐漸好轉		109 □
15. 基本上，政府的政策和法令一直對於工業發展具有相當強大的助力		110 □
16. 長期以來政府在各項重要交通工程建設的廣泛投入，為工業發展提供非常重要的助力		111 □
17. 過去因政府「出口導向策略」的成功推動與運作，是「台灣經驗」令世人刮目相看的基本關鍵		112 □
18. 有人認為要使工業繼續發展，政府應撤放各種限制，以落實經濟自由化的腳步		113 □
19. 近期以來，由於勞工薪資的大幅成長和土地價格的暴漲，已使製造業的經營日益困難		114 □
20. 雖然目前國內投資環境有惡化現象，但是台灣的人力素質和市場潛力還是相當被看好		115 □

六、您對目前國內工業發展現況和問題，以及整體投資環境的改善有何具體建議？（請說明） _____

非常感謝您的熱忱協助，也特別謝謝您的寶貴意見，並請不吝賜教！